猫侦探
生日盗窃案

[俄罗斯] 卡佳·玛图什吉娜／著
陈玉增　邢淑华／译

江苏凤凰科学技术出版社
·南京·

图书在版编目（CIP）数据

猫侦探. 生日盗窃案 / (俄罗斯) 卡佳・玛图什吉娜著 ; 陈玉增, 邢淑华译. — 南京 : 江苏凤凰科学技术出版社, 2021.6

ISBN 978-7-5713-1896-3

Ⅰ. ①猫… Ⅱ. ①卡… ②陈… ③邢… Ⅲ. ①儿童故事 – 俄罗斯 – 现代 Ⅳ. ①I512.85

中国版本图书馆CIP数据核字(2021)第080449号

猫侦探 生日盗窃案

著　　者	[俄罗斯]卡佳・玛图什吉娜
译　　者	陈玉增　邢淑华
责任编辑	洪　勇
责任校对	仲　敏
责任监制	方　晨
出版发行	江苏凤凰科学技术出版社
出版社地址	南京市湖南路 1 号 A 楼，邮编：210009
出版社网址	http://www.pspress.cn
印　　刷	北京博海升彩色印刷有限公司
开　　本	880 mm × 1230 mm　1/32
印　　张	6
字　　数	60 000
版　　次	2021年6月第1版
印　　次	2021年6月第1次印刷
标准书号	ISBN 978-7-5713-1896-3
定　　价	34.80元

食蚁兽杜顿，布谷鸟博物馆馆长
鳄鱼，古物修复师
木乃伊，
博物馆展品
老鼠贼仔，
改邪归正的坏蛋
小老鼠皮包奇卡

猫头鹰乌古哈，作家
椋鸟真尼，歌手
黄鼠史木茨，
小店售货商
小老鼠球恰，
猫侦探的助手
小·老鼠皮克，
猫侦探的助手
猫侦探达芬奇，天才
小·老鼠布布沙，
猫侦探的助手

目　录

本书持有者
你能认出我是谁吗？

我是一个可怜的馆长……

序曲
鬼魂出没的大宅门

“咚——咚，嗨，喂！有人在家吗？”一个奇怪的动物大声喊叫着，他像一个长毛的梨，有很长的鼻子和毛茸茸的尾巴，“开门！”

没人回答。

这座古老的宅邸**鸦雀无声**。残破的窗户里，弥漫着神秘的烟雾。墙壁寒气逼人，干枯的残枝败杈左摇右摆。蓝灰色的月亮当空高悬，无限寂寞。

“嗯，看吧！我早知道会这样！到处都是欺骗。”食蚁兽杜顿嘟囔着。

出于礼貌他又拉了一下门把手，最后彻底失望了，开始朝周围大喊大叫：“哎，有人吗？谁能告诉我这是不是老鼠的家呀？”

鸦雀无声： 连乌鸦、麻雀的声音都没有。形容非常安静。

不过，很遗憾，在这座城市的边缘地带，就连白天都几乎没人走过来，更不用说夜晚了。

杜顿觉得**精疲力竭**。他从公文包里拿出一张报纸，平整地铺在地上，痛苦万分地“扑通”一声坐到了上面。

“我真可怜，我是一个不幸的馆长！谁也不帮我！我记得很清楚，猫侦探达芬奇住在城边老鼠家。这就是城边，这就是住宅，可是谁也没有……都在骗我。”杜顿的长鼻子开始发出“吧唧吧唧”的声音，以防万一，他把鼻涕挤干了，“猫侦探怎么会住这样残破得要散架的房子呢？我听说猫侦探是一个品行端正的动物，而所有品行端正的动物都喜欢有条有理呀！”

突然，黑黢黢的窗户里闪出一点微光。

“谁在鬼哭狼嚎？不让我安静片刻？”可怕的咆哮声骤然而起，“快滚远点，你这个不速之客！不然我要整治你了！”

窗口出现一张可怕的脸，瞪着两只大眼睛。眼睛变得越来越大，“轰隆”一声巨响，灯光熄灭了。

杜顿的胡子都竖立起来了。

“妈妈！奶奶！祖奶奶！爷爷的兄弟们！救命啊！”他大喊着往远处跑去。

精疲力竭：精神、力气消耗已尽。形容非常疲劳。

跑到大街尽头的时候，杜顿突然想起了什么，又往回跑，他拿起刚刚坐过的报纸，整整齐齐地叠成一个小纸袋，打开公文包，把小纸袋放到第一个夹层里，合上公文包，然后惨叫一声落荒而逃。

“哈哈哈！”黑洞洞的窗户里传出大喊声，“让所有人都惧怕我吧！”

要像这样舔信封！
嘿，看你！
再给我们
看一遍！
你好

第一章
怪　客

天才猫侦探达芬奇一大早就开始整理堆积的信件。信件太多了，他的那几位小伙伴都不知道往哪里放好了。

小房子的接缝迸裂作响。满屋子都是信封：桌子上、椅子上、窗台上、地板上……有一些还粘到天花板上了——可能是甜食爱好者寄给猫侦探的。猫侦探**不苟言笑**地坐在写字台后面，他驾轻就熟地处理着这些信件，一只爪子拆开信封，另一只爪子快速地写回信，最后用口水粘贴信封。

"吱——吱，太棒了！"老鼠皮克、球恰和布布沙尖声说。

"他们给你写了什么呀？"球恰虚心地问，"有什么好玩的吗？"

"当然有！"猫侦探喊道，"有一个振奋人心的消息。我的朋友，也是亲戚，寒猫莫罗兹邀请我们冬天去他那里做客，地点是北—南—东—西极地！"

"乌拉！"老鼠们尖叫起来。

"这封是百万富婆绵羊钗然的来信。我上次生日时她忘

不苟言笑：苟，随便。不随便说笑。形容态度庄重严肃。

记祝贺，现在她承诺在我下次生日时赠送我一千卷毛料和一个毛纺厂……”

“有没有近期要发生的事呀？”皮克问。

“有啊！”猫侦探神秘地哼着小曲，在老鼠们面前转动一张照片，“有个动物给我们寄来了邀请函，请我们参加生日派对，派对上还有演出！”

老鼠们兴奋地跳起来。

“生日派对！谁？时间？地点？”

“请我们参加生日派对的是老鼠贼仔！”猫侦探话音未落，老鼠们已经吓得四处逃窜。

“噢，不要！这个不行！他是个罪犯！他偷走了名画《蟒蛇的微笑》，他曾经企图把我们从家里赶出去，他还是一个空中强盗！”

猫侦探对老鼠们微微一笑，精神饱满地说：“是的，贼仔过去的表现**乏善可陈**，但是这一切已成往事。现在他想做一只诚实有信的老鼠，正在**洗心革面**，我们要帮助他。看看，他现在变得多么庄重自爱。”

猫侦探给老鼠们看照片，照片上的贼仔下巴底下戴着一

乏善可陈：善，优点；陈，述说。说不出有什么优点，没有什么好称道的。
洗心革面：清除旧思想，改变旧面貌。比喻彻底悔改。

个漂亮的领结儿。

看起来他是在博物馆拍的照片，因为在他身后的台座上立着一个古老的花瓶，阴影中还能看到一尊雕像的轮廓。他直接在照片上用歪歪扭扭的字写着：

照片背面是地址：

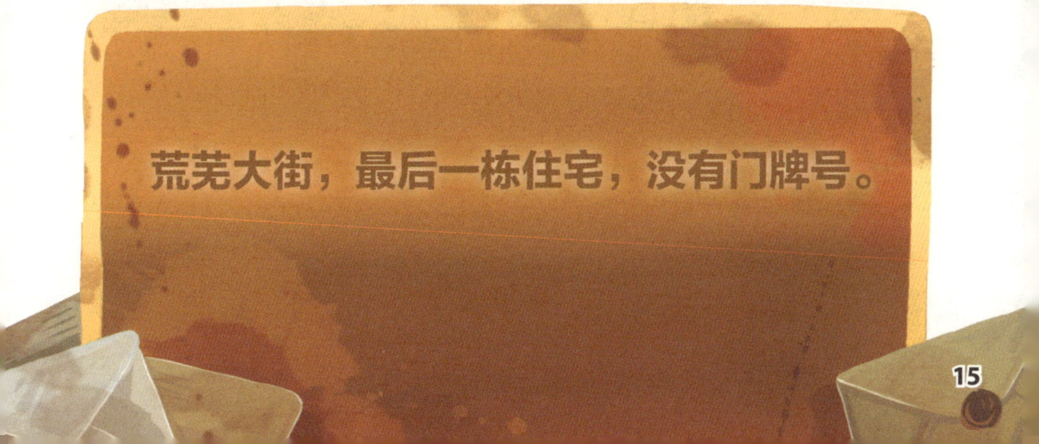

老鼠们半信半疑，拖长腔调说：“表演……我们一直都想看表演啊。”

“可是我们没有礼物，我也没有漂亮的衣服。”球恰着急了。

“不要紧！”猫侦探说，“我们给他画一幅宣传画！你耳朵上戴一个粉色缎子打的漂亮蝴蝶结就行！”

说完，猫侦探递给了球恰一小块颜色鲜艳的布料。老鼠们幸福地尖叫起来：“太好了！”立刻着手画宣传画了。

猫侦探站起来，走到衣架前面，把那张注明贼仔地址的照片放到披风兜里。他刚要去帮助老鼠们画画，房门开了，一只疲惫不堪、**萎靡不振**的食蚁兽站在门口，他满脚是泥，毛**挓挲**着，鼻子耷拉着。

“看啊！我们这里来了个浑身长毛的大梨！”皮克惊讶地说，“我马上要晕过去了。”

皮克倒在球恰身上，球恰倒在布布沙身上，布布沙倒在了地板上。

猫侦探让老鼠们都站起来。

“不要慌，这是食蚁兽，注意礼貌！”

“您好，大梨。”老鼠们尽量有礼貌地说。

“我不是大梨！我是杜顿。你们好。”食蚁兽杜顿皱着眉头，环视着到处都是信封的房间说道，“我要找天才猫侦探。你们谁是猫侦探达芬奇？”

“他。”老鼠们指着猫侦探说。

杜顿蹙起鼻子闻了闻，问道：“你真的是侦探吗？”

“如果需要，我可以是侦探，”猫侦探说，“不客气地说，我多才多艺。你具体需要我做什么？”

萎靡不振：萎靡，颓丧。形容精神不振，意志消沉。

挓挲（zhā sha）：指头发、树枝、手等张开，伸开。

老鼠们给杜顿拽来一个凳子，请他坐下。

杜顿刚要坐下，又“噌”的一下弹起来，好像坐到了滚烫的熨斗上似的。

“你们有抹布吗？”

“有！”球恰把粉色的布块儿递给了他。

杜顿抓起布块儿就擦凳子，又嫌弃地把布块儿扔掉。然后他从公文包里拿出湿纸巾，又擦了一遍凳子。

球恰气得尖叫起来，捡起了布块儿。

杜顿“扑通”一声坐到凳子上，他身侧的毛垂在凳子周边，样子看上去非常滑稽。

“我不知道从哪里说起！”杜顿说。

“按顺序说，”猫侦探建议，“说说你是干什么的，你那里发生了什么事。”

“是的，是的，按顺序。”杜顿同意，“我是布谷鸟博物馆的馆长。您知道这是多么复杂的工作吗？那么多贵重的展品，我要担负多大的责任啊！博物馆必须要精心保护，可是突然发生了失窃事件！”

“你们的展品被盗了？”皮克推测。

杜顿伤心地叹了一口气：“比这个更糟糕！我们的保安失踪了！他简直就是蒸发了！他并没有走出博物馆，否则检票员乌鸦就知道了。应急出口的门是上锁的，只有我有钥匙！这事儿是昨天发生的！”

“那你为什么今天才寻求帮助呢？”皮克问，“根据最新的痕迹更容易寻找罪犯。”

杜顿突然生气地大喊：“别对我指手画脚！”老鼠们都蹲下了。

“顺便说一下，我，是馆长！顺便说一下，我肩膀上长脑袋了！我发现保安失踪后立刻就出来找侦探了。听说侦探住在城郊，谁知道郊区这么大呀，我找了整整一夜！还遇到一栋可怕的住宅，吓得我摔倒在齐膝深的泥塘里！”

“不要喊，”猫侦探阻止馆长，“最好先说说你是怎么发现他失踪的。”

杜顿带着粘在他身上的凳子一起跳了起来。

“我没发现，我一直在忙其他事情。我发现了一个违反规章制度的参观者在拍摄展品，我当时非常气愤，掐着他脖子粗暴地把他赶出博物馆，然后去大厅找保安，想告诉他博物馆里禁止拍照！”

“那个违规的参观者是贼仔吗？”猫侦探突然问。

“你是怎么知道的？”杜顿像失去理智似的问道，这时凳子“砰”的一声掉到了地板上。

猫侦探严肃地皱起眉头：“以后再说。先把你们保安的情况给我描述一下。”

杜顿第一次露出微笑，伸出了长舌头：“他是世界上最好的保安！个子小小的，一点儿也不显眼，灰色着装，一天就坐在黑暗的大厅里，戴着墨镜，拿着一把铲子。他无所畏惧，可是他突然就失踪了。悲剧呀！”

“我明白了！”猫侦探说，“我接手这个案件。”

“明白了？”杜顿跳了起来，“我还没来得及细说呢。”

老鼠们看见猫侦探如此迅速地厘清了犯罪案情，都笑逐颜开，无比兴奋。

“主要是我有机智的头脑，”猫侦探不谦虚地说，“我想，找到你的保安很容易。晚上之前吧。”

“不可能吧！”杜顿有些不敢相信，“找到他，我就让你们免费参观博物馆一周。”

“最好一个月。”猫侦探说。

杜顿点头同意。

“嗯，现在我们就去博物馆！”猫侦探激动地喊道，同时披上了披风。

用画挡住的秘密出口
鞋盒和雕塑
投掷奶酪
这是什么样的回音呀！
嗨！
阿嚏！
噢！

第二章
失踪的保安

博物馆非常壮美。馆内设有很多展厅，展出的都是著名艺术家的作品，其中有**米开朗基罗**和**毕加索**这样的大艺术家

米开朗基罗： 意大利文艺复兴时期伟大的绘画家、雕塑家、建筑师和诗人，文艺复兴时期雕塑艺术最高峰的代表，与拉斐尔和达·芬奇并称为文艺复兴后三杰。

毕加索： 西班牙画家、雕塑家，是现代艺术的创始人，西方立体派绘画的创始人。

的作品。当然，也有天才猫侦探达芬奇空闲时创作的一套杰出作品。

但是，杜顿没有带他们去绘画展厅。进入博物馆后，他们沿楼梯下到埃及展厅，楼梯又窄又暗，需要点起火把照明。

“这里很漂亮！”猫侦探环顾展品后说。

食蚁兽耸了一下肩膀。

“我一来到博物馆的这个展区就无法控制自己。”杜顿说完，突然向后一闪，躲开了一个石棺。

大厅很开阔，也很冰冷。这里异常寂静，每走一步都有回音。缠绕着蛇形花纹的柱子支撑着天花板。橱窗

里的灯光神秘地闪烁着，里面摆放着古钱币、小勺、茶杯和埃及风格的装饰品。墙壁上是展现古代埃及人生活的五颜六色的画。

猫侦探很快在大厅里巡视了一圈，然后停在一个台座前。

“嗯，是这样！”猫侦探从披风口袋里拿出贼仔的照片审视着，“看起来贼仔在这里拍过照片。只是以前台座上有花瓶……那么，那时候保安坐在哪里呢？”

猫侦探若有所思地把照片放到台座上，跑向大厅另一端。当他从老鼠们的身边经过时，看见他们正在仔细地观看一尊平躺着的石头雕像。

这尊雕像看起来非常古老，很像长着狼或狗的脑袋、有着套娃身子的动物。

雕像是竖向展开的，它的上部分就像一个盖儿。布布沙俯身贴近雕像，不小心碰到了它的石头耳朵。雕像里有什么东西“咔嗒”一声，石头耳朵开始转动，雕像侧面露出一条缝隙。布布沙吓得迅速跑开了。

“这是什么？”皮克抓住杜顿毛茸茸的尾巴问。

杜顿回过头，他稀疏的胡子开始颤抖。

“这是石棺，里面躺着木乃伊。”

“啊呀！”皮克害怕了，“什么是木乃伊呀？”

杜顿俯下身子，好像怕谁听到似的，压低声音说：“我自己也不是很确定，木乃伊应该已经一动不动地躺了一千年了！全身都用绷带裹着呢。真是奇怪，我不明白为什么动物都喜欢瞪着大眼睛看他。快离开这里吧！我告诉你们保安坐在哪里，只有他什么都不怕，只有他无所畏惧地保护着这个大厅。”

老鼠们小跑着跟在杜顿的后面。

他们刚刚离开，石棺的盖子就悄悄地移动了，两只发光的黄色大眼睛从里面看着动物们。

“谁在那里？”杜顿鼻子猛地抽动了一下，回头看了一眼。

黄色大眼睛消失不见了。

杜顿小声说："又出现了！我在这个大厅里经常看到一些东西，有时地板上有一些痕迹，有时能看到绷带的碎片，现在保安又失踪了。"

他们走到大厅尽头一个黑暗的角落，靠墙处有一个板凳。猫侦探已经在这里转悠了一会儿，用放大镜仔细检查过了。

"我那优秀的保安就是坐在这里！"杜顿喊道，"就在这个地方。他是那么矮小，那么无所畏惧。"

“这些划痕是怎么回事？”猫侦探看着地板上的沟痕。

“划痕？”杜顿贴到地板上，在原地来回转了一会儿，两只眼睛盯着沟痕看，用爪子摸，用嘴舔，最后镇静地说：“对，是划痕。没事，我能接受。”

“事情变得越来越有意思了……”猫侦探顺着划痕穿过整个大厅，跑到窄小的安全备用楼梯上。

食蚁兽和老鼠们紧随其后。那对黄色大眼睛又从石棺里向外发出闪闪亮光。

大家上到二楼，那里是工作走廊。划痕继续在地板上延伸，最后消失在宽大的木门边，门上写着：

“划痕一直到你的办公室！”猫侦探说。

“你想以此说明什么？”杜顿感觉受到了侮辱，“难道你的意思是我偷走了保安，把他锁到自己的办公室，然后又莫名其妙地去找侦探吗？”

“我有另外一种理解！”猫侦探自信地说。

杜顿耸耸肩膀，猛然推开办公室的门。

办公室里很暗，窗帘遮挡得严严实实，室内摆放着沉重的古老家具。

猫侦探挠着后脑勺，站着不动。老鼠们挤在门口，不敢往里进。

“我要求你给出解释！”杜顿生气了。

“是这样，”猫侦探说，“我用天才智慧评估了所有事实，对比了所有证据，得出来一些结论。第一，你的保安是一只鼹鼠。”

“你是怎么知道的？”食蚁兽非常吃惊，“这事我没对你说过，绝对没说过。”

“因为你的保安戴着墨镜，还坐在最黑暗的地方。视力好的动物不会这么做，他显然是害怕光，而且到哪里都带着铲子。有谁这么怕光并且到哪里都带着铲子呢？”

“谁呀？”杜顿没明白。

“当然是鼹鼠！”老鼠们尖叫道。

“第二，鼹鼠无所畏惧是因为他几乎什么都看不见！所以那些展品对他来说没什么可怕的。”

“这个我不相信。”杜顿说。

“但是，事实就是事实。”猫侦探摊开爪子继续说，“第三，谁也没偷走鼹鼠。”

“那他现在在哪里？”大家一齐问。

“自己藏起来了！看来，他是被摄影师吓的。鼹鼠看见闪光灯的亮光后，吓得失去了理智。”

“那又是谁到处留下可怕的划痕呢？”皮克问。

“是鼹鼠自己留下的，他由于害怕，使劲地在地板上拖着铲子跑动造成的。”

“他现在藏在哪里呢？”老鼠们尖声尖气地问。

“在这里！”猫侦探打开了柜门。

在柜子的角落里，衣服掉了下来，衣服堆里有谁在蠕动着。

“啊！”小老鼠们大喊。

一把铲子从柜子里掉了出来。

“谁在那里？”柜子里传出颤抖的声音。

“是我们，你的朋友们！”猫侦探说，“出来吧！以后不会再有谁给你拍照了！”

鼹鼠从一堆衣服里探出头来。

“找到了！难怪大家都说猫侦探达芬奇是天才！”杜顿很兴奋，但他突然脸色苍白，沉下了脸，“这叫什么事？谁也没偷你？那我成什么了，侦探白找了？”

“没白找，”皮克说，“我们现在可以免费在博物馆里溜达一个月！”

“乌拉！”老鼠们齐声喊道。

球恰拥抱着猫侦探说：“今天是个好日子！我们找到了神秘失踪的鼹鼠，晚上去贼仔家参加派对。我有预感，我们在那里还会遇见什么震惊的事！”

“噢，我们该走了！我们还没给贼仔准备礼物呢！”猫侦探着急了。和朋友们道别后，他们就急忙回家了。

第一号报纸

母鸡真理报

快讯

广告

关于埃及你们都知道些什么？你们见没见过木乃伊？到没到过废弃的豪宅？

就在今天，你们将有机会**与神秘的力量相遇，了解自己的未来。**

请诸位午夜正点到以下地点：

荒芜大街，最后一栋住宅，无门牌号。

贼仔改邪归正，是浪子回头还是谎言？

正如独立的消息来源告诉我们的那样，过去的贼仔以一种奇特的方式受到了再教育，现在准备给整个动物城一个惊喜。贼仔保证，听到他的新主意后，动物城里所有的动物都会像被雪块砸了脑袋那样跌倒。借此机会，黄鼠史木茨将要甩卖头盔。

要当心贼仔突如其来的袭击！

头盔在黄鼠的帐篷里出售，三个金币两个头盔。

节日新闻！

《母鸡真理报》十周年庆典。为此，我们出版免费号外。

（仅出版一份，留存在编辑部作为节日纪念。）

荒诞的豪宅
折断的楼梯
狐狸——吸血鬼
打破的
玻璃窗
可怕的羊皮

第三章

神秘的豪宅

马上就到午夜了，城郊的古老豪宅里发生了一件令人难以想象的怪事。墙壁一直在晃动，震碎的玻璃不时发出“稀里哗啦”的响声，地板发出震天动地的响声，好似一群大象在追赶河马。

这是曾经的知名罪犯——贼仔搞出的动静，不过这次他不是在预谋犯罪，而是在准备自己生日派对的演出。

贼仔非常担心午夜到来前还不能准备就绪。他忙得一塌糊涂，到处乱跑，分身无术。

“哎呀，来不及了！”他一边用抹布擦着枝形吊灯，一边说。

“哎呀，晚了！”他一边在地板上画着神秘符号，一边“吱吱”地叫。

“哎呀，时间快到了！”他一边往墙上贴丝绸布料，一边“哼哧哼哧”地喘气。

终于，贼仔环视了一下房间，窗户和墙壁都挂上了暗色的亚麻布，屋子中间放置了一张圆桌，上面摆着蜡烛，桌子周围放着一圈椅子。

贼仔满意地笑了，可是似乎又想起了什么事，突然跳起来。

“唉，你那里都准备好了吗？”他仰着头喊道。

从阁楼上传来了尖细的“吱吱”声：“还没准备好。”

“什么叫‘还没准备好’？你已经捏了一天了！”贼仔跑到上面去，皮包奇卡坐在一只旧箱子的盖子上，眼睛瞪得溜圆，正在用蜡泥捏制埃及花瓶。花瓶的侧面被压陷进去，瓶颈向外伸。看见贼仔后，皮包奇卡用手指把花瓶戳了一个窟窿。

“我是天生的雕塑家。”皮包奇卡眨了眨眼睛说道，“你看，多漂亮啊？你可做不出来。”

贼仔想大声喊叫，嘴张开又闭上，闭上又张开：“花瓶不是这样的！我不要这种！表演时需要埃及花瓶，就像照片上那样的！”

皮包奇卡一脸不屑地看了一眼放在她脚下的照片，这是贼仔站在博物馆白色花瓶旁边照的，花瓶侧面写着金色的象形文字。

贼仔捡起照片，“啪”一声拍到蜡泥盒子旁边的小桌上。

“需要这样的！”

皮包奇卡对此**嗤之以鼻**：“我不想按照片做，我要自己

嗤之以鼻：嗤，讥笑。用鼻子吭声冷笑。表示轻蔑。

创造，我感情丰富着呢。”

贼仔用力跺着爪子，周围掀起一股烟尘。

“你什么都不懂。算了，告诉你一个秘密吧，我要一个很正规的花瓶是为了魔法效果。表演时我要唤醒木乃伊。没有花瓶，木乃伊就不会现身。”

皮包奇卡不以为然地哼了一声：“切，别说傻话了，木乃伊是不可能被唤醒的，他不是电梯，也不是妖魔。”

“所以需要一个好演员扮演木乃伊。”贼仔**兴致勃勃**地说。

一听到“演员”，皮包奇卡拍打起尾巴，抿起嘴唇，小心翼翼地问：“演员？是谁呀？”

“是你。”贼仔郑重宣布，“第一个节目是庆祝我生日的助兴表演，免费。接下来的节目是收费的，我们就要像电

兴致勃勃：勃勃，旺盛的样子。形容兴头很足。

给贼仔的宣传画涂颜色

影里那样发大财了。”

“哇！”皮包奇卡跳起来，一高兴就把花瓶套在了贼仔的头上。

“哎，你干什么？”贼仔低声说，“如果你不想看见我发火的话，快把这东西给我拿下去！”

“哎呀，我不是故意的，对不起！”皮包奇卡很不好意思，把花瓶取了下来。

“小心点儿！”贼仔把压皱的耳朵整理好，“我们不是都商量好了吗！不能袭击导演！”

“我太开心了！没控制住自己。演主角可是我**朝思暮想**的啊！”准女主角嫌弃地看了一眼花瓶，现在它像一个带窟窿的小锅，“那观众们会喜欢我们的表演吗？”

贼仔弹掉鼻子上的蜡泥渣，自信地说：“当然！你会迷倒大家。你想象一下，我用手纸把你缠上，大家都会以为你真的是缠着绷带的木乃伊。”

皮包奇卡把花瓶捏扁了，手指上沾满了蜡泥。

“什么？我不想被缠在纸里！我要穿**布拉吉**，戴花环，

朝思暮想：朝，早晨；暮，晚上。早晚都想念。形容非常想念或经常想着某一件事。

布拉吉：具有俄罗斯风格的，柔软绵长的连衣裙。

我要漂漂亮亮的。”

“我从来都没见过漂亮的木乃伊！”贼仔生气了，“木乃伊都是可怕的。”

“既然这样，你怎么不自己扮演木乃伊？”皮包奇卡反问。

“那就要改写整个剧本，我还要进城贴宣传画呢！”

“嗯，你就重新写呗。我现在给你做一个标准的花瓶，然后涂上颜色。”

“好吧，想办法尽快完成吧。”贼仔嘟囔着，“这次演出最好能让观众们神魂颠倒！成为**街谈巷议**的主题！”

贼仔脸上挂着心有不甘的表情，悻然拿起一摞宣传画进城去了。

宣传画上画的是残暴的木乃伊。他的眼睛凶光可怖，爪子抓着一个花瓶。花瓶里冒着热气，瓶身的象形文字上闪着火花，仿佛花瓶马上就要破碎，从里面会立刻跳出一个什么家伙来似的。

贼仔没有想到的是，宣传画不仅吸引了观众，还引起了在这个世界上他最不想见到的那位的关注。

街谈巷议： 大街小巷里人们的议论，指民间的舆论。

第四章
生日当天的盗窃案

神经衰弱者禁读

午夜时分，穿着盛装的动物们聚集在古老豪宅周围，他们都给贼仔带来了礼物。其中有猫侦探达芬奇和他的小老鼠们、歌手椋鸟真尼、图书管理员松鼠布拉卡、老橡树伯爵小姐猫头鹰乌古哈，还有《母鸡真理报》记者母鸡苦大哈。

动物们带来的礼物堆积如山。真尼带来了自己的塑像；乌古哈累得**气喘吁吁**的，带来一幅分量很重的画，画的是一个南瓜；猫侦探和老鼠们画了一幅宣传画。其他的动物带来漂亮的礼品盒，里面装的东西不得而知。

动物们在神秘的房子前踱步，兴奋地窃窃私语。谁也没想到，等待他们的不仅仅是表演，还有一个非常奇怪的家伙在偷偷地靠近大宅。如果猫侦探转过身的话，他就会看见，有一双炯炯发光的黄色大眼睛正从街道的另一头向他们这边靠近。

但是，动物们都没转身。他们的目光都投向房门，门上挂着一幅宣传画，画的是贼仔、木乃伊和花瓶。画上用红色

气喘吁吁：形容呼吸急促，大声喘气。

神秘大宅入口
太有趣了！
表演节目
午夜12点开始！
不要敲门！
不开门！
在外边等！
太丑陋了……
胡说八道！

颜料写道：

表演节目，午夜 12 点开始！

“哎哟，我有种不祥的预感！”乌古哈说着把画放到台阶上，“我听说过关于这座大宅的……”

她没说完，因为表演开始了。月亮躲到乌云里，大门慢慢打开了。

动物们都紧张地朝门里看。突然，一双瘦骨嶙峋、皱皱巴巴的爪子从门里伸了出来。“啪嗒”一声，乌古哈的画被碰倒了。

“啊！”老鼠们喊叫起来。

“啊！”乌古哈喊叫着朝画跑过去，“别碰画！”

“我也没想碰它！”皮包奇卡突然站在大宅门口，奇怪地看着动物们。她穿着一件肥大的衣服，一只耳朵上挂了个花环，裸露的爪子在微微颤抖。

“大家好！”皮包奇卡伸出爪子，猛地朝动物们扑了过去。不巧的是，她的一只爪子踩空了，一个没站稳，从台阶上飞跌下来，一头扎进画里，把画撞出个大窟窿。

乌古哈被**突如其来**的情况吓得**目瞪口呆**，而脖子上套着

突如其来：突如，突然。出乎意料地突然发生。

目瞪口呆：形容因吃惊或害怕而发愣的样子。

画的皮包奇卡却打开了话匣子，她像爆豆似的说：“你们想淹没在神秘的**不可思议**的现象里吗？”

乌古哈张开嘴，好像打算说点神秘的不可思议的东西，可是皮包奇卡紧紧抓住她的一只翅膀说：“住嘴，听着！今夜我们这里会出现神秘的力量！但是，不必害怕！我给你们画护身符，这样大宅里的游魂恶鬼就不会伤害到你们了！”

皮包奇卡的爪子里有一支记号笔，她用这支笔在乌古哈的翅膀上画了个什么东西，乌古哈起初不同意，她刚转过头

不可思议：指无法想象，难以理解。

想看看画的是什么图案，老鼠们就冲到皮包奇卡跟前，把乌古哈挤到一边去了。

“给我也画一个！给我！”老鼠们喊道。

“哎哟！你画的不对！你应该画太阳！”贼仔从阁楼窗户上压低嗓音说，但是动物们吵嚷的声音太大，谁也没听见他的话。

大家的爪子上都有了谁也看不明白的花纹图案，这时皮包奇卡把画从脖子上拿下来，小声说：“请保持安静！都请进屋，坐到椅子上。礼物请堆放到墙根儿，免得放在黑暗处看不见。”

动物们胆怯地打量着周围，进屋去了。

“礼物弄坏了，”乌古哈不满地嘟囔着，但是她身边连个人影都没有了，“唉，算了！就说这幅画是没修复过的！”说完，她也急忙进屋了。

大宅里**神秘莫测**，阴森恐怖。圆桌上烛光微弱，墙上的帷幔轻轻摆动，玄妙的音乐缓缓播放。

来客们交换着眼神，围着圆桌坐了下来。

皮包奇卡抬起爪子，怪模怪样地愣了一会，然后突然低

神秘莫测：意思是非常神秘，不可以推测或想象。常用来形容一些不可理解的事物或现象。

声宣布："请听！演出现在开始，请往右边看。"

动物们都往右边看去，但是，由于他们是围着圆桌而坐，所以大家看的方向不一样。

"诸位此刻是在荒凉的大宅里，这里隐藏着可怕的秘密。"

"噢，秘密，这很有意思！"记者苦大哈从包里掏出活页笔记本，把蜡烛推到能直接照到猫侦探达芬奇脸的位置，一边快速地在活页笔记本上写着什么东西，一边喃喃自语："城郊的一座摇摇欲坠的破房子里，一只穿着枕头套的老鼠正在恐吓动物们。"

皮包奇卡突然跳到桌子上，看着猫侦探的眼睛。

"你准备好跳入未知的深渊了吗？想到那里去了解你过去的秘密，再穿越到迷惘的未来吗？"

"准备好了！"猫侦探同意，"我喜欢秘密。"

"我们都准备好了！"大家附和着。

"那就让我慢慢道来。听着，别激动。这不是一座普通的大宅，它耸立在非比寻常的地方。很久以前这里是一座古老的**金字塔**，装满了黄金和宝石。"

金字塔：古代埃及的一种建筑物，是用石头建成的三面或多面的角锥体，远看像汉字的"金"字。

“完全不可能。”布拉卡说，“我在图书馆工作，我了解我们城市的一切，这里从来就没有过金字塔。”

“有过！”皮包奇卡争辩着，“我亲眼见过！好大的一座金字塔。方形，顶部是圆的，塔尖上有一个蝴蝶结儿。”

“金字塔不可能是这样的。”

“它是三角形的。”帷幔里有谁悄声地说。

“这是谁在干扰我？”皮包奇卡从桌子上跳下来，朝帷幔冲过去。

动物们一头雾水地交换着眼神。

在帷幔后面，贼仔全身缠着手纸，正准备表演。皮包奇卡快步朝他走过去，气愤地小声说：“你要是再干扰我，我就全都忘记了！到时我怎么想就怎么说！即兴表演！”

“可是你破坏了我的脚本！”

“如果不喜欢，你自己讲去。”

“好吧，好吧，”贼仔克制住自己，“只是你下一步要按计划进行！注意点儿，别把话说得颠三倒四的。”

皮包奇卡从帷幔中跳出来，爪子抓着脑袋，挤眉弄眼，好像患了伤风感冒似的。

“动物们，我刚刚知道了一件事！神灵告诉我，木乃伊要苏醒了！让我们一起说三遍：‘木乃伊，醒醒吧！’”

“大家应该爪子拉着爪子一起说！”从帷幔里传出声音来。

“谁一直在你后边说话？”乌古哈问。

“这是古代的神灵在提醒我们应该怎么做。”皮包奇卡一本正经地小声说。

动物们拉起爪子，一齐说：“木乃伊，醒醒吧！木乃伊，醒醒吧！木乃伊，醒醒吧！”

音乐声更响了，地板开始颤抖，从底下传来低沉的碰撞声，接着是鼻音很重的号叫。

皮克吓得啜泣起来，苦大哈却一反常态神经兮兮地哈哈大笑起来。

皮包奇卡挥着爪子说：“他苏醒了！都坐好别动！现在我叫木乃伊到这里来，他会借助埃及器皿的法力预测你们的未来。”

“哎呀，太可怕了！”球恰使劲攥着爪子，把爪子都攥疼了。

皮包奇卡从桌子底下拿出一个弯曲的器皿，上面写着歪歪扭扭的文字。

“这又是什么呀？”乌古哈感到奇怪，“你是想说这是古代木乃伊的器皿吗？”

“是的！”皮包奇卡恶狠狠地回答。

“不像，我家里有真正的埃及花瓶，那个看起来比这个好多了。”

帷幔后面传出异响。满身缠着手纸的贼仔“咕咚”一声倒在地板上。皮包奇卡没注意到，还在继续说：“往花瓶里随便放点什么小东西，根据这些东西就可以为你预测未来。”

猫侦探把放大镜扔进花瓶里，老鼠们都是扔的糖纸，真尼扔了一个袖扣，布拉卡把耳环扔进去了，苦大哈扔的是钢笔，而乌古哈不太情愿地摘下金项链扔到了瓶底。

乌古哈抓着皮包奇卡的尾巴严厉地说：“你可要记住，如果项链丢了，我就啄你！”

“没必要担心，表演结束后，立即把东西都还给你们。”

“那就好！”苦大哈又把自己的活页记事本扔进去了。

皮包奇卡用爪子摸着花瓶的边缘，神秘地念念有词：“阿卜拉卡哒卜拉矢哇卜拉！木乃伊出来吧！”

一团烟雾从房间角落里沿地板慢慢飘散开来。帷幔掀开，随着一声刺耳的号叫，一个动物朝大家走过来，他身上缠满了手纸。

动物们都吓得发抖。老鼠们都躲到了猫侦探身边，乌古哈用翅膀遮盖住自己，苦大哈钻到桌子底下，差点儿把桌子掀翻了。

脸上裹着绷带的木乃伊向前走了几步就撞到墙上了。

皮包奇卡迅速跳到木乃伊跟前，把它转向面朝桌子。

缠裹木乃伊头部的手纸有一点松开了，动物们看见了紫色的耳朵和一只眼睛。

“这是贼仔！”真尼说。

“我根本不是什么贼仔！”装扮成木乃伊的贼仔说，怕大家不相信，他又开始号叫，“把花瓶给我，我要预言你们的未来！”

缠在一堆凌乱手纸里的贼仔朝桌子跟前走了两步，抓起了花瓶。

“好，这是什么东西？啊，是糖纸。这是个幸运儿，明天会收到礼物。”

“耶！”皮克尖叫。

“这个物主今天会丢点儿东西。”贼仔扯出乌古哈的金项链说，然后又把项链放回瓶底。

“我不会丢失任何东西。”乌古哈生气了。

这时谁都没看见，房门已经悄悄地打开了，一双黄色闪亮的大眼睛望着屋内。这双眼睛观察了所有的动物，看见花瓶后突然激动起来。

“哪里来的凉风啊？”皮包奇卡跑到门口，在这个隐身来客面前“砰”的一声把门关上了。

突然响起“轰隆”声，墙倒塌了，礼物满屋子飞，动物们都陷入一团团烟雾和碎片之中。

“救命啊！”贼仔大叫。

什么东西闪电般地从贼仔身边掠过，然后消失在黑暗中。贼仔和花瓶也同时消失了。

第五章

猫侦探办案

贼仔神秘消失后，动物们开始平静下来，灰尘也慢慢落下。蜡烛已经熄灭，房间里漆黑一片，只有月光透过门洞照到墙上，群星无精打采地忽明忽暗。皮包奇卡脸色苍白，像个幽灵似的张着大嘴站在屋子中间。她从帷幔里摔出来后，清楚地看到身后有一大堆手纸。

“哎哟，哎哟，哎哟！”布布沙一边揉着脑袋，一边哀怨地叫喊，“木片打到我后脑勺了。”

“我满嘴木屑！”乌古哈抱怨。

突然，布拉卡兴奋地拍爪叫好：“这才是真正的表演！没想到贼仔会在爆炸中消失！这一切太真实了。”

“可是我不喜欢！”真尼抖落着翅膀上的灰尘说，“表演一文不值，嗓子尖声尖气，木乃伊**不伦不类**，绷带用纸代替！如果我扮木乃伊，一定比他更好！”

“我们呼唤贼仔荣归吧！”苦大哈建议。

大家鼓掌同意。贼仔没有出现。掌声更加响亮，这时皮

不伦不类：既非这一类，又非那一类，形容不成样子或没有道理。

这个脏手印不是我弄的！

包奇卡悲惨地号哭起来。她的眼泪在黑暗中若隐若现。

“贼仔！贼仔！你藏到哪里去了！你在哪里？”她跑到帷幔后面找，又回来绕着桌子找，再查看椅子底下，“哪里都没有！”

“什么叫‘哪里都没有’？他肯定在‘哪里’！”乌古哈气愤地说，“和花瓶还有我的金项链在一起。”

皮包奇卡用爪子抓着鼻子，压低声音说：“你们都不明

白！这是个意外！这不在我们表演计划之内。”她紧张地跳起来，抽动了一下爪子，打开房门，看了看墙上的豁口。

“什么不在计划之内？”苦大哈问。

“你没看见吗？不知道是谁拆毁了这堵墙，还劫走了我亲爱的贼仔！”

“有谁会需要他呀？”布拉卡不相信。

“都需要他！”皮包奇卡绝望地用爪子拍打着自己的

头，号啕大哭起来。

“生日当天的盗窃！”苦大哈说，“特大新闻！神秘力量劫走了动物！”

“恐怖！荒唐！”来客们喊道，“我们要找到他！”

“是不是有谁掐断了电源？”真尼带着哭腔抱怨道。

“现在让我来搞清楚这里到底发生了什么。”猫侦探达芬奇跳到桌子上，把枝形吊灯倒过来。苦大哈迅速接通了电源。

房间里混乱不堪。礼物散落一地，地板上满是灰尘和碎片。球恰和皮克堵着耳朵坐在桌子下面。苦大哈正在桌布上写东西。

乌古哈疑惑地哎哟一声：“这算什么？例行表演吗？我也不相信贼仔被劫走了！向来都是他劫别人！把我们的东西都收集到花瓶里就是想拿走，我们还都竖起耳朵倾听，相信他会让我们开心……”

“还好，我只往花瓶里放了一个金袖扣，”真尼说，“我还剩下一个。哎呀，一个怎么用啊！偷盗！”

大家都注视着猫侦探。

猫侦探庄重地从桌子上一跃而下。

“请大家安静！看来，这里发生了刑事犯罪案件。要么是贼仔偷了东西，要么是谁把贼仔和东西一起偷走了。

总之，我需要进行侦查。第一个问题，我要问皮包奇卡，表演的**压轴戏**是什么？”

皮包奇卡用肥大的长衫下摆擦掉了眼泪，结结巴巴地说：“贼仔给大家预测未来，应该是想跟大家开个玩笑，然后是最愉快的节目——我们大家一起和木乃伊跳舞，拿掉贼仔身上的手纸绷带，并祝他生日快乐。”

“胡说，我一句也不信。”乌古哈说。

皮包奇卡握着拳头跳到她面前说：“我礼拜五从来不撒谎！今天是礼拜五！贼仔想表演，用光明正大的方式挣钱。”

“今天是礼拜四。”苦大哈说。

皮包奇卡愤怒地“吱吱”尖叫，对猫侦探说：“好侦探，你怎么不说话呀？快搞清楚是怎么回事吧！”

猫侦探**若有所思**地环视了一下动物们。

“事情非常复杂……大家都坐回原位，我需要把这里都仔细检查一遍。”

猫侦探走到墙壁的裂口处，快速地嗅了一遍，又用爪子触摸，最后把耳朵贴到墙上说：“要在墙上打开这样一个洞，

压轴戏：一般指戏曲演出中的倒数第二个节目，现在也指一场演出中排在最后较为精彩的节目，也比喻令人注目的、最后出现的事件。

若有所思：若，好像。好像在思考着什么。

绘画家庭作业：

画贼仔

5.

6.

7.

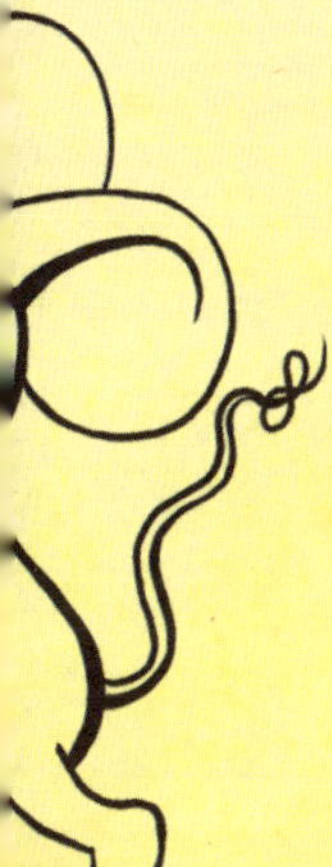

11.

需要**洪荒之力**。恐怕贼仔没有这个能力，当然，如果他有帮手就另当别论。”

动物们互相交换着眼神。

“你这是在暗示什么呀？你以为是我把墙咬出一个洞的吗？”皮包奇卡气得“呼哧呼哧”喘着粗气。

猫侦探没有回答她。他从帷幔后面跳上了楼梯。

月光穿过窄小的窗户照进屋里。楼梯踏板裂了，看上去一脚就能踩塌，但是猫侦探还是毫不畏惧地走了上去。

他查看了二楼，那是一个小房间，里面没有人。猫侦探从楼梯返回来后又登上阁楼，这里有一扇半掩着的小门通向房顶。

猫侦探悄悄地看了看外面。房顶很老旧，到处都是裂缝，凸凹不平。屋顶的瓦片由于年久失修，已经变黑了。明月低垂，似乎伸爪就能摘星辰。

“这样，这样，”猫侦探一边环视周围一边自言自语，“从门口到房顶的边缘都有划痕，似乎贼仔在那里待过，嗯，那里有一块纸。可他是怎么从房顶上下去的呢？难道是跳下去的？”

猫侦探走到屋檐边，看到下面被压倒的灌木丛，上面还

洪荒之力：可以理解为足以开天辟地的力量。

挂着一小片手纸。

“这里相当高，他怎么能跳下去呢？他是不得已**铤而走险**吗？”他自言自语。

铤而走险：铤，急走的样子；走险，奔赴险处。指在无路可走的时候采取冒险行动。

猫侦探回到一楼，从焦躁不安的动物们身边经过，跳到街上去。朋友们都追随他一起出去了。

“看，贼仔在这里摔倒过，”猫侦探指着栅栏旁边的灌木丛说，“他从这里发疯似的往前狂奔，顺便拆掉了栅栏上的木板，掀翻了长椅。”

“既然门就在旁边，他为什么还要拆栅栏呢？”布布沙问。

“我脑子里有许多解释和想法，但都需要验证。”猫侦探说，“不过，我已经得到了某种启示，我们面对的是新的刑事犯罪案件。”

猫侦探绕着宅邸走了一圈，仔细地观察了每一个细节，最后说：“好了，我们在这里没什么要做的了。我现在要回家了，好好思考一下案件，再找一找参考资料，明天一大早开始侦查，寻找贼仔、花瓶和失物。”

“那我也回家了，”乌古哈同意道，“还有最后一条裤子没熨呢。看，还有让我生气的……”

乌古哈跑到屋里，拿起带窟窿的画就走了。

“我留下不走！”皮包奇卡鼓起勇气说，“贼仔可能突然回来！我在这里等他。”

“你不害怕吗？”苦大哈问，“如果你也被劫走怎么办？”

“不，我不害怕。”皮包奇卡说，“我运气不佳，从来没遇到过什么好事，所有的荣誉都归贼仔独享。”

“而我总是福星高照！”苦大哈说，“幸逢如此良夜，定能写出妙趣横生的好文章！读者一定会加倍喜爱我们的报纸！”

第二号报纸

母鸡真理报

快讯

在城郊残破的宅邸里，穿枕套的老鼠在恐吓动物们。

特大新闻！

从前的坏蛋贼仔扮演木乃伊，却神秘失踪。谁找到贼仔，就能从他那里收到礼物，或者是谴责——这都取决于贼仔的好恶。

自己写一篇报道生日盗窃案的文章

密探园地
各种胡须
各种眉毛
呼噜——噜——噜！
唏——唏——唏！
咝——咝——咝！
密探的小道

第六章
罪　证

猫侦探达芬奇和老鼠们凌晨时才回到家里，老鼠们立刻躺在大厅的沙发上睡下了。这里除了沙发，还摆放着餐桌、橱柜和猫侦探的办公桌。猫侦探连披风都没脱就开始在房间里踱来踱去，分析这次犯罪的前前后后。他考量着所有的解释和想法，重新分析每一个可疑点，对比事实，陷入沉思之中，以至于没发现乌古哈跑进屋子里来。

猫侦探脑子里突然灵光一闪，他猛地转过身，踩到了乌古哈的爪子。

“哎哟！”乌古哈大叫，一只脚跳了起来。

灵感从猫侦探的脑海中一闪即逝。

“猫头鹰，你在这里干什么？”猫侦探惊奇地问。

“你没看见我在跳吗？”乌古哈委屈地抱怨。

“对不起，我正在思考问题。”猫侦探尴尬地说。

“是的！我也是这么想的！罪犯还**逍遥法外**，继续在城里逛游，抢劫诚实的鸟儿们，这时你怎么能闲着呢？”

老鼠们醒了，迷惘地看着乌古哈。

逍遥法外：指犯罪的人没有遭受法律应有的惩罚，仍旧自在无事。

“椋鸟怎么了，被劫了？”球恰问。

“为什么是椋鸟？”

“因为他在我们这里是最诚实的。”布布沙说。

“不是他。”

“那是谁呀？”球恰问。

“是我！”乌古哈抓着脑袋，“你们都想象不出当时我被吓成什么样子！快关心关心可怜的我吧。给我拿把椅子，把窗户打开！我马上就要晕倒了。”

乌古哈一条腿站不稳，摇摇晃晃地倒在猫侦探的怀里。猫侦探把她扶到圈椅前。乌古哈突然快速地扑倒在椅子上，用一只翅膀盖住头，爪子也蹬到椅子上去。

“好了，现在你们问我发生了什么事吧。”

“发生什么事了？”老鼠们跳到乌古哈跟前问道。

乌古哈艰难地喘了一口粗气，翻着白眼，开始痛苦地陈述：“事情是这样的。你们也知道，那个小偷加坏蛋贼仔偷走了我的金项链之后，他还想偷我最贵重的东西。”

“要把你本人偷走吗？”皮克问。

“不是！我不值得一偷！我的意思是，我是无价的。我最贵重的东西是埃及花瓶，那是**埃及法老**送给我的礼物，以

埃及法老：古埃及国王专有的称呼。

此表彰我写出来的佳作！”

“埃及花瓶？”猫侦探反问了一句，好像有所领悟，“这个花瓶和我们观看表演时见到的那个相像吗？”

“不，不像！贼仔那个是橡皮泥捏的，我的那个是宝石做的！至少法老是这样告诉我的。明白吗？贼仔早就注意到我的花瓶了，一直问我关于它的事，后来我告诉他博物馆里有这样的花瓶，他就不再纠缠我了。哎哟，我受不了了！给我水。”

布布沙从屋里跑出去，提回来一桶水。

“给你浇在身上，还是你只要洗洗爪子？”

“我要喝水！”乌古哈大声咆哮，“这是何等不知深浅的行为！这就是你们的待客之道啊？”

“是否需要敬奉粗茶一杯？”猫侦探问。

乌古哈高兴了：“那好啊，就给我倒杯茶吧，如果可能的话，配上果酱和糖果。否则，我一紧张，肚子就饿得要命。”

猫侦探点点头，给乌古哈倒了杯茶，又把一碗糖果放到桌子上。

“现在要全部说出来，你都看见了什么，不要遗漏任何细节。”

“嗯，事情是这样的，”乌古哈满嘴糖果，开始讲述，“我用文学语言讲给你们听。我可是一位作家，我要把记得的一切都生动地描绘出来！漆黑的夜晚，动物城内好似被泼了墨汁一样黑暗，只有星星点点的灯火时断时续地在微风中摇曳。”

“我，著名的老橡树伯爵小姐，高贵、权威的泰斗作家，顺便说一下，你们知道我是拖着疲惫的身子，一瘸一拐，自己往家走的。我情绪很坏，金项链被偷走，去做客连饭也没吃上，画还被捅了个窟窿。你们清楚，这是跟什么样的坏蛋打交道啊！”

“到家门口的时候，我抬起爪子刚要跨过一根倒木，一

给乌古哈涂颜色

下子惊呆了——我的树宅里有灯光，门敞着！我大吃一惊！这是谁呀？谁背着本主擅闯私宅？小偷？”

“我立刻决定隐藏起来，蹲在道路中间，用翅膀把头蒙上。我匍匐前进，爬到门前朝室内观望，在我的走廊里有一个很长的、身上裹着布的家伙在蠕动。他那双黄澄澄的大眼睛炯炯发光，他的腋下夹着我的宝贵花瓶……”

猫侦探搓着爪子，乌古哈的故事让他极度感兴趣。他拿起活页记事本，快速记录了一些要点后问：“这个家伙外形什么样？”

“看起来非常恐怖，虽然我不能描述得更详细。我看到他也就是一瞬间的事，因为这一刻天花板下面的灯泡突然坏了，灯光熄灭了。但是，请你相信，在我有生的日子里永远都不会忘记他那对黄色眼睛射出的犀利目光！”

“等一下，你说是贼仔偷了你的东西，可是贼仔的眼睛是紫色的。”猫侦探打断她说。

“当然，是紫色的。我立刻猜到是贼仔特意把眼睛换了个颜色来吓唬我的！”

“他个子有多高？”

“是我身高的两倍！当时我就猜透了他的坏心眼。狡猾的家伙想吓唬我，故意像踩着高跷似的立起来了。最重要的是他拖着花瓶呢！”

“这是个什么样的花瓶？”

“这个花瓶可非同一般！根据说明书上写的，它是古埃及的物件，传说是由一位神秘的神灵保管的。但是，这种说法我不以为然，我相信它**价值连城**，举世无双！贼仔以为我会忘记他是多么喜欢这个花瓶！他打算不声不响地偷走，没想到被我当场抓了个现行。”

“有点意思。”猫侦探说，“可是朝你走过来的那个家伙一点儿都不像贼仔，与他有关系的只是衣服和花瓶。你怎么就能断定他是贼仔呢？”

“肯定是贼仔！只有他才会干这样的事！总之，你还没听我讲完呢！”乌古哈不满地抱怨。

“请，请讲。”

“看见他以后我快气死了，使出全身的力气大喊：‘我要抓住你了，快投降吧。我知道你是贼仔，不要跟我瞪着你那双发亮的大眼珠子！’”

“我朝这个**不速之客**跑过去，可是那个家伙非常灵活地跳到墙上，直接顺着墙跑，又跳到天花板上，从那里又跳到窗户上，打碎玻璃，飞速跳到路上去了。”

价值连城： 连城，连在一起的许多城池。形容物品十分贵重。
不速之客： 速，邀请。指没有被邀请而自己来的客人。

“我跑出去追他，但是他跑得太快，把我甩得太远。我突然意识到，我可是荣誉市民啊！我还是作家，‘秃笔’‘年度劣作’等奖项的获得者！我怎么能疯跑追赶罪犯呢？他们应当为我的才华倾倒才对。我刚停下脚步，立刻听到‘咣当’一声巨响。”

“你猜怎么着？这个坏蛋撞到树上了，把我宝贵的花瓶打碎了！”

“不一会儿，这个坏蛋就挣扎着爬起来，愤怒地号叫着，消失在黑夜中。”

“我跑到那些碎片跟前，你能想到我在那里看到了什么吗？假的！原来我的花瓶是假的！在这里呢，你们看看！”

乌古哈从包里拿出花瓶碎片递给了猫侦探。猫侦探用爪子翻了翻碎片，掂量了一下，又嗅了嗅气味后说：“非常逼真的仿制品！这些碎片是用高韧度纸板做的！”

“对，对，就是这个东西！原来我的花瓶不是真货！黄鼠史木茨却说这是真品。我是在他那里定做了一个和博物馆一模一样的花瓶，他以很高的价格卖给了我。”

“啊哈！”猫侦探说，“你刚才还说是法老送给你的呢。”

“我说的事多了去了，这是作家的杜撰！重要的是，我的花瓶被偷了，还被打碎了！”

“这些我们都会搞清楚的。”猫侦探说，“这样的话，

帮忙找出合适的花瓶碎片

我们还有什么呢？”

“我们有花瓶碎片、丢失的贼仔和被吓坏的猫头鹰。”布布沙说。

“我们有事实。”猫侦探说。

“第一个事实：一个动物牵扯到盗窃案里，这个动物身上缠着布或者纸。我认为这不是贼仔。

第二个事实：罪犯已经两次偷盗花瓶赝品。

第三个事实：很可能罪犯是想偷盗真品，没有找到花瓶真品他不会停手。而花瓶真品正在修复中。

第四个事实：我们应该寻找贼仔，但是，我们只能在新的证据出现后才能行动。”

“接下来会发生什么事情呢？只要花瓶回到博物馆，罪犯就会袭击博物馆？”乌古哈问。

“有可能，”猫侦探说，“那他就落到我们的爪子里了。”

事实
1.
2.
3.
4.
?
需要新的证据

大减价！大减价！
走过路过，别错过！
报告表
品列表

第七章
英勇行为

博物馆馆长食蚁兽杜顿感到焦虑，他的鼻子不停地颤动，尾巴也无精打采地耷拉着。虽然，给博物馆增添收藏品不是什么坏事，特别是目前有一半展品都在修复中。但是，售货商**狮子大开口**让他难以忍受。更让他难以忍受的是，售货商黄鼠史木茨连一分钟的考虑时间都不给。他在馆长办公室里来回跑动，对杜顿又推又晃，观察他的眼神。然后他又爬到桌子上，不停地说："哎，别心疼钱，快买吧，买就打折送礼品！今天买一个，明天第二个就来了！"

杜顿虽然**温文尔雅**，但他还是果断地把史木茨从桌子上推到地板上，并开始用放大镜仔细查看商品。这是一件古老的装饰品——编成辫形的项链，装饰有黄金小鸟，小鸟的眼睛和翅膀上有亮晶晶的宝石。

"这里有个裂纹，少了两颗宝石，项链扣也坏了。"杜顿皱着眉头说。

史木茨又爬到桌子上："哪里？你说什么？这不是裂

狮子大开口：比喻要价或所提条件很高，亦形容人贪心。
温文尔雅：温文，态度温和，有礼貌。形容人态度温和，举动斯文。

纹，是压痕，宝石不会有裂纹，就是这么设计的。”

杜顿摇着头说：“不得不杀价一半。”

史木茨露出有迷惑力的微笑，挥着爪子说：“哎，亲爱的！都为了你！三个四个金币没多大区别，给九个金币吧！”

“给你三个。”杜顿严肃认真地说。

史木茨微笑的嘴咧得更大了。

“嗯，好，我同意八个金币！”

突然响起了敲门声。

史木茨赶紧把珠宝，连同杜顿的放大镜都收进口袋里。杜顿气愤地喊道：“谁呀？”

“猫侦探达芬奇！”门开了，猫侦探带着老鼠们进入办公室，“我们有紧急的事，关系到博物馆的安全。”

“安全？”杜顿的胡子翘起来了。

史木茨举起爪子搭在猫侦探身上：“嗨，不行，馆长正忙着呢，我们这儿有合同。”

杜顿立刻跺着脚说：“不要在我的办公室里**喧宾夺主**！史木茨，到门外等一等。”

史木茨把口袋紧贴在自己身上，一脸不快，对猫侦探

喧宾夺主：指客人的声音压倒了主人的声音。比喻外来的或次要的事物占据了原有的或主要的事物的位置。

翻着白眼说：“看吧，你总是这样。”然后“砰”的一声关上门，震得桌子上的长颈玻璃瓶都跳起来了。

杜顿挥着爪子，请来客们在皮沙发上就座。

“你们来了，真好！我也知道我们有一些安全隐患！事故频频，接连不断。昨天保安失踪，今天又不知是谁在埃及厅里丢了些布片。瞧，就是这些！”杜顿从桌子抽屉里拿出一段很长的绷带，“看得出，参观者随心所欲，**恣意妄为**，在大厅里乱扔袜子，还爬到雕塑头上去拍照。”

“可以看看吗？”猫侦探从杜顿手里接过布片，开始仔细认真地查看，“你们看，这是新的证据！”

老鼠们伸长了脖子。

“这是什么意思？”皮克问。

“这不是普通的布片，这是罪犯的绷带。这些绷带出现在这里，就证明罪犯来过博物馆。”

杜顿吓得差点晕倒，赶紧抓住桌子边才站稳。

“罪犯曾经来过这里？这不太可能！我们也没丢失什么呀，所有的展品都原地没动，我今天还亲自数了一遍呢。”

猫侦探立刻问道：“花瓶在吗？”

“哪个花瓶？我这里有一百四十二个半花瓶，它们

恣意妄为：恣意，任意，随意；妄为，胡作非为。指随心所欲，胡作非为。

都在。”

“我说的是埃及花瓶。它现在在哪里？上次在展台上就没看见它。”

杜顿挥了一下爪子：“当然没在展台上。我们送去修复了。”

猫侦探阴沉着脸：“你确信花瓶还在修复吗？有可能已经被偷走了……”

杜顿哈哈一笑说：“这完全不可能。”

“为什么呢？”

“因为你没见过我们的修复师鳄鱼，从他那里偷走东西是不可能的。说真的，我都不敢在他面前伸鼻子，我害怕鼻子不翼而飞。总之，我们有世界上最厉害的修复师，他那里的所有贵重东西都井井有条。”

“我担心你的修复师会受到可怕的安全威胁。我们现在是和一个非同寻常的罪犯过招儿。”

“快走！我们应该把所有地方都检查一遍！”杜顿拿起自己的公文包，猛地推开办公室的门。

“啊！”史木茨捂着鼻子飞快地从门旁跑开，“能不能小心点儿呀？”

“你在干什么，偷听吗？”

“你们把我看成什么了？”史木茨的自尊心受到了伤

在布谷鸟博物馆的收藏品中找到相同的花瓶

害，“我是在偷看。”

杜顿懒得理他，和猫侦探他们一起朝楼梯跑去。

“请站住！我们的合同怎么办？”史木茨追在后面喊，“嗯，算了，我等着吧！”

杜顿、猫侦探和老鼠们从博物馆出来，跑到一个带小花园的圆形院子里。在墙对面有一扇半掩着的门，门是灰色的，外观简陋不堪，上面写着：修复室。

杜顿惊呼了一声：“你们看，门开着！这不可能啊！莫非有谁进入修复室抢劫？鳄鱼在哪里呢？”

动物们朝门跑过去，这时门“轰隆”一声关上了。

杜顿在离门几步远的地方停下，老鼠们都躲在了他身后。猫侦探毫不畏惧地伸出爪子准备敲门，可是这时候门又悄悄地打开了。

“咚咚咚！可以进来吗？”猫侦探望了一下屋内。

透过门帘可以看到很微弱的灯光，昏暗中可以勉强看出家具的轮廓。

猫侦探和老鼠们进入这个凉爽的房间，听到最远的角落里传出“簌簌”的声音。

老鼠们胆怯地抓着猫侦探。

“谁在那里？”皮克小声说。

“别过来！”那个声音说，“我会咬你们的！”

“噢！恐怖！他要咬我们！”

老鼠们惊恐地往外跑，在门口撞上正要进门的杜顿。

“鳄鱼，是你吗？”杜顿问。

“是我！你们都是谁呀？”

“我是馆长！”杜顿说着打开了灯。鳄鱼的大长脸一下子就从货架后面伸出来了。

“嗨，是你呀！我还以为自己要完蛋了！”

鳄鱼用后腿走到灯光下。他个头儿太大了，扬起脸就能顶到天花板。他的样子很可怕，面颊阴森可怖。老鼠们最不喜欢的是他张大嘴时露出参差不齐的长牙。

奇怪的物件
是谁的身影
完全看不清楚这上面的东西

根据影像确定是谁在房间里

“哎呀，这是多大的鳄鱼呀！”球恰吓坏了。

“你这里的花瓶被盗了吗？”布布沙问。

“没有！我这里什么也没丢！”鳄鱼说，“但是我看到了非常可怕的东西！”

“看到什么了？”大家齐声问。

“不行！你们要先说你们都是谁？”

“他们都是我的朋友。”杜顿说。

猫侦探咳嗽了一声，认真地说：“我在侦查花瓶失窃案和老鼠贼仔失踪案，为办理案件到此地打扰你。看来，罪犯是盯上你这里的埃及花瓶了。”

“啊，原来是这样！他想要我心爱的花瓶啊！”鳄鱼惊

恐地说，“花瓶我谁也不给！我还没修复完呢。这你们都看见了。”

到这时，猫侦探和老鼠们才看清楚这个奇怪的房间里都有些什么东西：天花板上挂着许多灯具和枝形蜡台；墙上各种造型和尺寸的钟表“嘀嘀嗒嗒”地响着；架子上整齐地摆放着奇形怪状的古董、装饰品、茶具、首饰匣和其他小零碎；长条桌子上放着马赛克碎片，旁边是画笔和调色板，调色板上挤满了各种颜料。

“我刚给花瓶涂完颜色，现在应该干了。瞧，就是这个！”鳄鱼把颌骨弄得噼啪响，大声咽下一口什么东西，“噢，它太华丽了。”

花瓶放在靠墙的一个单独的台座上。它比皮包奇卡制作的那个要光滑和漂亮很多，也比那个更高、更雅致，侧面有优美的象形文字。

鳄鱼突然甜美地笑了一下：“据说这个花瓶具有威力和能量，它曾经是埃及法老的东西。”

“嗯，嗯，”猫侦探客气地打断他，“你答应告诉我们夜晚这里发生的事了。”

鳄鱼的脸唰地一下变白了。

“哎呀！你们真想听这件可怕的事吗？你们不怕吓晕倒吗？”

“尽量坚持住吧！”猫侦探说。

“那好吧，我就说了。”鳄鱼低声说，“这件事发生在夜里。我和往常一样工作到很晚，突然听到奇怪的响动。我把灯关了，从窗户往外看。我看见的东西把我吓得直哆嗦，上牙打下牙。”

“啊！”食蚁兽突然大叫一声靠在墙上，“咳，稍等，我喘一口气。太可怕了！”

“你感觉不舒服吗？”球恰问。

“现在好一些了，请继续讲吧。”

鳄鱼大声咽了下口水，说：“我从窗户里看见一个可怕的、身上裹着布的家伙正在博物馆的墙上爬。我赶紧跑过去锁门，倒霉的是，由于用力过猛，我把锁扭坏了，门打开了！你们知道接下来发生了什么吗？”

“什么？”大家齐声问。

鳄鱼哆哆嗦嗦，结结巴巴地小声说：“那，那个家伙看了我一眼！他的眼睛像汽车大灯那么亮。”

“后来又发生了什么？”

“还有什么？当然是我把门“砰”的一声关上了！我一夜都没敢松开门把手，后来在门上贴了胶带才去角落里睡了一会儿。可是胶带开了，门又打开了，我以为是那个家伙进来了呢，结果不是他，而是你们进来了。知道了吧，

给鳄鱼涂颜色

多可怕呀！”

“要知道，他确实可能回来。”猫侦探说。

“哦不！”鳄鱼大喊。

猫侦探开始在屋子里踱来踱去。

“都清楚了。罪犯是去博物馆寻找花瓶，但是没想到花瓶正在修复。不过，我认为他肯定还会再来寻找。”

“不要再来了！”杜顿跑到猫侦探跟前，抱住他的肩膀，“好侦探，请你赶快抓住罪犯吧，你让我干什么都行。”

“好！必须设埋伏。你要帮助我，把花瓶借我用一夜！”

“为什么？”

“为什么？为了用花瓶做诱饵呀。你还要给我们留出一个没有安保措施的地方。有吧？”

“当然有！地下室都归你使用，入口在小广场上。”

“太棒了！”猫侦探点点头，“鳄鱼，你要想办法让花瓶尽快干透。老鼠们，你们去找母鸡苦大哈，让她在报纸上刊登一篇文章，就说博物馆最贵的花瓶现在放在没有安保措施的地下室，明天这个宝物将运往另外一个城市去巡展。读了这份报纸以后，罪犯就不得不快点下手，这样我们就可以一举把他拿下。”

“什么是诱饵呀？”布布沙问。

“我们用花瓶来吸引罪犯，当他来偷花瓶时，我们就以

迅雷不及掩耳之势逮住他。花瓶就是诱饵。”

“嗨，我太激动了！”杜顿表示感谢，“太好了，多亏有你！”

“是的！我自己也挺高兴。”猫侦探说，“真不知道，没有我你们该怎么办。”

杜顿和猫侦探握手后就着急要走。

“嗯，我得先走了，我还有个重要的合同要签。”

“那我去把门锁修好。”鳄鱼说，“如果不是被吓坏了，我夜里就修好了。现在和猫侦探在一起，就没那么害怕了。”

迅雷不及掩耳：雷声来得非常快，连捂耳朵都来不及。比喻来势凶猛，使人来不及防备。

第三号报纸

母鸡真理报

快讯

布谷鸟博物馆馆长玩忽职守，对展品保管不力。著名的埃及花瓶明天即将长途运往另一个城市展出，现在它就放在没上锁的地下室！可能是博物馆里找不到更合适的地方吧！

请得知这一信息的诸位保守秘密，别让强盗打听到。

永远和你们在一起的《母鸡真理报》

号外新闻

《母鸡真理报》暂停出版，因为黄鼠史木茨卖的纸涨价了。

母鸡苦大哈出差去附近的城市采购纸张了，她不在的期间，如果动物城发生特大事件，她回来后将予以报道！

就是它！木乃伊捕捉器！
绳子太好了！
这绳子太长了！

第八章
伏　击

“大家都听我的！”猫侦探达芬奇小声说，同时留意观察老鼠团队的状态。皮克、球恰和布布沙都聚精会神，耳朵竖着，尾巴卷起。

外面天色渐暗，地下室里只有放在地板上的蜡烛发出微弱的亮光。蜡烛忽明忽暗，长长的影子在墙上轻轻晃动。猫侦探绕着小桌子走了一圈，桌子上立着花瓶，在黑暗中像一个小桶。他挥了挥手说：“是这样，我们要抓到疑似木乃伊的罪犯，就意味着需要有一个捕捉木乃伊的工具！”

“那是什么东西呀？”球恰惊奇地问。

“这是我的最新发明！喏，你们看！”

也不知道从哪里拿出来的，只见猫侦探手里有一捆绳子。

“**宏才大略**！”老鼠们高兴了，“那这绳子能怎么帮助我们呢？”

“非常简单！我们用绳子打个活套，然后放到地板上。罪犯站到套里时，我们猛地一拉绳子，罪犯就会跌倒，然后

宏才大略：杰出的才能和谋略。

我们立刻扑上去抓捕他。明白吗？”

“惊心动魄的点子！”老鼠们**窃窃私语**。

猫侦探迅速打好了活套，放到门旁边，吹灭了蜡烛。

“各就各位。”

老鼠们分别躲到各个角落里，用抹布盖住自己，猫侦探坐在门旁边。

“安静，有谁在走动。”没过多久，猫侦探从门缝里看见了渐渐走近的脚，他马上藏到黑暗的角落里，紧紧地抓住绳子。

球恰屏住了呼吸，布布沙开始哆嗦，皮克吓得眯起眼睛。

门“嘎吱”响了一下，有谁走进地下室。

“看，茶来了！”响起了熟悉的声音。

“抓！”老鼠们尖声叫着，同时猫侦探猛地一拉绳子。

“哎哟！哎哟！哎哟！”这是杜顿的声音。

博物馆馆长杜顿被绊倒在地板上，公文包和茶壶都摔出去了，茶壶碎了，茶水洒了一地。

“你们搞什么？为什么把我绊倒？”

“真有你的，没想到罪犯是博物馆馆长！”皮克惊奇地说。

窃窃私语：背地里小声说话。

“我不是罪犯，我给你们送茶来了！”

“你不是罪犯？”老鼠们过来扶杜顿站起来。

猫侦探解开绳子，生气地问：“你为什么要过来？我们在这里设了埋伏！你把罪犯吓跑了！”

杜顿艰难地站起来，急忙收拾碎片，然后在一只老鼠身下拿起公文包。

“我夜里巡查各个展厅，清点一下展品，看看有没有丢失什么，到你们这里来送茶水，以免你们闲得无聊。”

猫侦探抓着自己的脑袋说：“我们不觉得无聊，我们是在抓罪犯。你把一切都搞砸了。”

“我没搞砸，我来助你们**一臂之力**。为了万无一失，我派鳄鱼守在门外，这样你们抓捕的时候能省点力气。”

“真是岂有此理！”猫侦探跳出地下室，差点没撞上鳄鱼。鳄鱼横躺在过道上，眼睛盯着道路的那边。

“你在这里干什么？”猫侦探大声喊。

“埋伏呀。”鳄鱼小声说，“老实说，我挺害怕，罪犯可能无处不在。”

猫侦探环视一下四周。博物馆门前五颜六色的广场上，灯光昏黄，静谧异常，好像这里不可能发生任何可怕和危险

一臂之力：臂，胳膊。指一部分力量或不大的力量。表示从旁帮一点忙。

的事情。树木和花草都纹丝不动，月光静寂，洒满夜空。

猫侦探气愤地“喵喵”叫起来：“有这样设埋伏的吗？设埋伏应该藏在隐蔽的地方！唉，这又是谁在那里走动？”

皮包奇卡在不远处的灌木丛中间，对着猫侦探挥了挥爪子，就躲到绿叶里去了。

“这是你的老鼠皮包奇卡跑来帮忙。她有口哨，看见有谁过来，她就吹口哨。”杜顿从地下室里走出来说。

猫侦探气得举起两只爪子一拍说：“又是她！皮包奇卡，回家去！你们这样把我的行动计划都打乱了！”

猫侦探大步朝灌木丛走去。这时，背后有谁压低声音叫：“啊！木乃伊！”

猫侦探立刻往回跑，可是已经晚了。从博物馆墙上下来一个很长的裹着布条的家伙，直接奔地下室去了。他那双恶毒的黄色大眼珠子里射出凶光，他踩到了鳄鱼的尾巴，又推开杜顿，跳进了地下室。随后，门“咣当”一声关上了。

猫侦探冲到门跟前，抓住把手，可是门已经锁上了。

“让开！”鳄鱼吼道。

鳄鱼跳起来，朝门冲过去，一巴掌把门打掉了。他顺势跌坐到地下室中间，受惊的罪犯捧着花瓶站在他旁边。

“抓住他！”老鼠们“吱吱”叫喊。

“唉呀呀！”罪犯号叫着从鳄鱼身上跳过去，跑出了地下室。

猫侦探和罪犯迎头相撞，各闪一旁。罪犯全身裹着绷带，动作灵巧，双目炯炯发光。

这家伙翻了个跟头，从地上拿起花瓶紧紧抱住，夺路而逃了。

“抢走了！”老鼠们尖叫起来。

鳄鱼从地下室跳出来，爪子拖着门，绝望地喊道：“我认出他了，他是木乃伊！埃及厅的木乃伊！他是真正的木乃伊！”

“展品跑了！”杜顿扯着嗓子大喊，“快抓呀！”

“木乃伊在哪里？把他交给我！”皮包奇卡从灌木丛中伸出头，目睹了正在发生的一切后，她拍着爪子大笑不止。

木乃伊动作非常灵活，好像他身体里安装了发动机。他从皮包奇卡身边跳过去，掀起一团灰尘，又绕树转了一圈后，突然向上举起一只爪子。绷带从这只爪子上飞到树上，顺势缠绕到树枝上。

猫侦探朝木乃伊奔跑过去，但是，木乃伊像蜘蛛一样，攀着绷带爬到树上，然后把绷带重新缠到爪子上，再抛到另一棵树上，再飞过去。用这种方法飞越几棵树之后，木乃伊就跃到博物馆的屋顶上了。

皮包奇卡绝望地号叫：“你们干吗都傻站着啊！抓他呀！多么神奇的木乃伊呀！不能放过他。这帮笨蛋！”

木乃伊在博物馆屋顶上奔跑。

猫侦探向排水管奔去，就在这时，木乃伊一脚蹬空，从难以置信的高度“扑通”一声摔到马路上。马路上的石子儿被砸得四处纷飞，路上砸出了一个窟窿，广场都颤抖了。猫

侦探差点儿从排水管上滑下来，不过总算坚持住了。

“太不幸了！”皮包奇卡扯着嗓子喊道，“木乃伊摔下去了！”

动物们都朝木乃伊跑过去，可他没摔伤。他像发疯了一样开始围绕广场奔跑，踢翻了长椅，打碎了灯笼，推倒了树木。他的脚底下石子和尘土飞扬，两只眼睛闪着怒光。拖在他身后的绷带松散开，随风飘动。

“这得是多么大的损失呀！”杜顿郁闷地叨咕，一边把翻倒的椅子扶起来，一边收拾打坏的灯笼碎片，还试着支起被推倒的树木。

“我一定要抓住你！”猫侦探跳到地上，以极快的速度追赶木乃伊。要知道，猫侦探可是运动健将，他掌握很多运动技能，比如猫功夫、猫柔道，还可以与天才运动员们比赛短跑。

皮包奇卡也张开爪子向木乃伊扑过去，高声喊着：“我要逮住你！”木乃伊怕踩到皮包奇卡，急忙收住脚步。这时，猫侦探巧妙地一跳，麻利地抓住绷带末端，按住了木乃伊。

木乃伊想挣脱出去，开始疯狂旋转，绷带越缠越紧。猫侦探用力地拽着绷带，木乃伊被勒得鬼哭狼嚎，在地上打转。由于转得太快，木乃伊、猫侦探和花瓶都缠到了一起。他们两个越缠越紧，莫名其妙地看着对方。

找一找灯笼、长椅和树干的残缺部分。

猫侦探全身的毛都立起来了。

这时，木乃伊发出“咝咝”的声音。猫侦探被他嘴里的臭味熏得头晕，差点儿失去知觉。

“为什么要抓我？花瓶是我的！”

木乃伊抽搐着、呻吟着，想挣脱出去。

“啊哈！抓住了！”老鼠们尖叫着从各个方向跑过来。

木乃伊吓坏了，抽搐得更厉害了，号叫着在原地转圈，把一堆绷带都缠到了猫侦探身上。突然间他身上没了绷带，显露了原形——一身蓬乱的短毛，很像一条**瘦骨嶙峋**的鬣狗。

暴露出自己的这种形象，让木乃伊非常难为情。他看到离自己越来越近的老鼠们，急忙用爪子捂住脸，把刚刚发生的一切都丢到脑后，惨叫着**落荒而逃**。

猫侦探被困在原地，浑身缠满绷带，爪子里捧着珍贵的花瓶。

老鼠们又都朝猫侦探那边跑，可是被鳄鱼推开了。

“我抓住了！”鳄鱼抓着裹着绷带的猫侦探说，“啊哈！木乃伊被我抓住了！让我把你好好修复修复！”

瘦骨嶙峋：形容人或动物消瘦露骨。

落荒而逃：形容吃了败仗慌张逃跑。

“我不需要修复，我是猫侦探达芬奇！”猫侦探大声喊着，试图从绷带里脱身。

鳄鱼闪到一旁，非常难为情。

“好侦探，我们现在给你解下绷带！”球恰说。

这时，杜顿气喘吁吁地向他们跑过来。

“怎么样，跑了吧？我就知道会是这样！多大的损失啊，博物馆最好的展品跑了！你们告诉我，到哪里还能找到一个木乃伊？全都是损失，茶壶也打碎了……我得**引咎辞职**！一定要辞职。”

“还好，他没伤害谁！”皮克说，“都看见了吧，他那是双什么样的眼睛啊？”

猫侦探从绷带里伸出脑袋说：“重要的是花瓶在我这里。

引咎辞职：引咎，把过失归在自己身上。多指承认过错而辞去职位。

这可不是一般的花瓶，木乃伊不只是简单地要找到花瓶，而是要了解它的秘密……”

“都走开！到一边去！”传来了皮包奇卡急切的声音，“我给侦探解开绷带！”

皮包奇卡推开球恰，嗅了一下绷带，眉头皱得像风干了的苹果一样。

“怎么这么恶心呀！你们从没清洗过木乃伊吗？”

“木乃伊不能清洗，他会被水泡大变形的！”鳄鱼说。

“哪怕用刷子清理一下也行啊！别废话了，我来！”

皮包奇卡伸出爪子。

“你可别干这个！”猫侦探说，但是皮包奇卡非常兴奋地抓住绷带原地转圈，猫侦探身上的绷带一点点转移到了她的身上。

“够了，停止吧！”

“全部解开我就停下！哎呀！”皮包奇卡发现自己把老鼠们都缠在一起了，于是她又往另外一边跑，可是场面越来越乱，杜顿和鳄鱼也被缠了进来。

“我的领带！你把我的领带弄脏了！”杜顿厌恶地喊道，还试图用公文包打皮包奇卡。

“停下！”鳄鱼嘴里发出“咔嚓咔嚓”的声响，他把绷带咬断了。

他们都跌倒在地，动物们松了一口气。

皮包奇卡看着鳄鱼的嘴惊呆了，鳄鱼反倒感觉不太自在。

“你的牙齿也太漂亮了！”皮包奇卡惊讶地说，“你用什么刷牙呀？”

“用锉刀！”

皮包奇卡灰溜溜地闪到一边去了。

“这一切都是你的错！”杜顿突然朝猫侦探猛扑过去，“如果没有你的方案，我们早就抓住木乃伊了。”

猫侦探费了好大劲儿才摆脱那些破布条子，把身子抖落干净。

“抓捕方案准备得非常好，是由于你的过错才失败的！你就不该派鳄鱼到门口去！”

“我也反对过。”鳄鱼说。

“那你到底能不能找到木乃伊？”杜顿猛然抽动一下鼻子，“你说过自己是侦探。”

“好吧，既然这样，我就再帮你最后一次。”猫侦探说，“不过有一个条件，就是你不要妨碍公务，必须听从指挥。这样，我可以用我的尾巴发誓，我一定能找到木乃伊和被他劫走的贼仔。只是我们现在还需要一个诱饵，引导我们找到案件的蛛丝马迹。”

“那就快去寻找你的诱饵吧！”杜顿挥舞着公文包说。公文包敞开了，里面的东西撒了一地。

杜顿气喘吁吁地急忙往回捡，可猫侦探敏捷地用柔软的爪子踩住了一条项链。

“你这东西从哪儿来的？”

杜顿不满地嘟囔道：“今天在史木茨那里买的，顶级展品，很古老的金项链，上面镶嵌着小鸟和绿宝石。”

“这就是我要找的诱饵！”猫侦探说，“这条项链不久以前从乌古哈那里被偷走。黄鼠史木茨怎么也卷入到本案中了？有谁知道他住在哪里吗？”

“他的店铺在市场里，”杜顿说，“他在那里过夜。看来，他是小偷？”

“现在还不知道！”猫侦探迅速说，“我们必须马上去找他搞清楚。”

“现在是夜里呀！”

“**刻不容缓**。”

“我和你们一块儿去，”鳄鱼说，“我负责拿着花瓶，我的爪子最有劲儿。”

“我们缺你这一个吗？”皮包奇卡突然抗议道。

“大家一起去。”猫侦探允许了，“我后面总是跟着很多动物，我自己也不知道为什么。”

“因为你是天才，谁都想跟着天才走。”皮包奇卡解释道，“但是，不是那些平庸的动物。”

于是，他们这一群动物浩浩荡荡地前往史木茨的店铺。

刻不容缓：刻，指短暂的时间；缓，延迟。指形势紧迫，一刻也不允许拖延。

市场
这里卖不堪
入目的东西
史木茨
肃静！
奶油和奶油制品
唉！
这里有没有人啊？

第九章
大售货商

市场并不远，就位于仓鼠胡同后面，夜里很多商铺都**打烊**了。商铺门楣上的字写得很漂亮：劣品和一切便宜货，跳蚤小窝，冬天用的车马衣等。

史木莰的商铺是一个不大的帐篷，帐篷是用各种颜色的布头拼接而成的。入口处挂着标牌："我什么都买，什么都卖，我拿什么换随意，你拿什么换都行。"

"喂，史木莰，你在吗？"杜顿喊。

从帐篷里传出史木莰慌乱和急促的声音："我一直都在！万一有谁夜里急用什么，我就卖什么，比如剪刀、留声机、旧袜子。"

门帘掀开了，睡眼惺忪的史木莰出现在门口，一只耳朵立着，另一只耷拉着。他身上毛发蓬乱，穿着睡袍，上面带一个皱皱巴巴的大花结儿。

"哎呀，这么多顾客呀！快进来！"

"我们是来办事的。"猫侦探边往帐篷里走边说。他身后跟着上气不接下气的杜顿、老鼠们和鳄鱼，一下子就把小

打烊：指商店晚上关门停止营业。

给史木茨的帐篷涂颜色

帐篷挤满了。

帐篷内很狭窄，堆满了**琳琅满目**的商品。亚麻布的墙上挂着面具，书籍都摞在一起，绳子上挂着节日服装。

庆贺新年的荧光彩带从天花板上垂下来，鳄鱼的脸被缠住了。老鼠们跑到一个装有很多纪念章的纸箱里，开始在里面翻腾。皮包奇卡站在哈哈镜前面，镜子里的她胖得像个球，看到镜子里的舌头，她差点儿跌坐到一堆东西上，这堆东西上面放着枕头和方格图案的被子。

“噢！你在商品上睡觉吗？”皮包奇卡问道。

“这是在繁重劳动之后解乏的最好方法！”史木茨说，“另外，请诸位关注非常优质的防水布雨伞！”

史木茨用雨伞戳了一下猫侦探。

“谁需要这东西呀？”皮包奇卡惊讶地说。

“谁？谁想要阴天出行防雨、晴天拿着显绅士派头谁就需要！”史木茨微笑着说，“你们试试，按一下按钮就可以！”说着他自己先按了一下。

雨伞“砰”的一声打开了，打到了皮包奇卡，皮包奇卡一下子躲闪到帐篷外边。

琳琅满目： 琳琅，精美的玉石。满眼都是珍贵的东西。形容美好的事物很多。

“等一下，史木茨，”猫侦探把雨伞拿过来合上，“我们来找你有正事要谈。”

“噢，明白了！你们是要卖花瓶吗？”

鳄鱼听到这句话，急忙抱紧花瓶，连连摇头，他被那些彩带彻底缠住了。

“那还有什么事？你们是需要皮鞋吗？我有优质的皮鞋！尺寸齐全，从三毫米到二百厘米的应有尽有。”

这时，猫侦探打断他说：“我们来是想知道，你卖给馆长的那个物件是从哪里弄到的。杜顿，请给他看看项链。”

杜顿把爪子伸到公文包里掏。

“哎呀，我好像弄丢了！噢，没有！没丢！”

杜顿粗暴地把项链伸到史木茨的鼻子底下，后者急忙躲开了。

“我没卖过！我不知道这是从哪里弄来的！”史木茨急忙大声喊道，同时开始收拾散落在地板上的东西，扔到一边去。

“怎么说没卖过？”杜顿惊讶地说，“当然是你卖的，要不然它怎么会在我这里？”

“我怎么知道？是你自己在什么地方弄到的吧！”史木茨说，“要不我现在请各位喝一杯柠檬汁吧，喝一小口，想买一升。”

杜顿凑到史木茨跟前，用鼻子指着他的鼻子。

“你别跟我**闪烁其词**，故意打岔。如果你不痛快承认的话，我今后永远不买你的东西。”

史木茨的表情突然变了。

“请等等，等等。我半睡半醒的，没看清楚，拿过来……”他抓起项链，放到眼皮底下，“啊，是的，当然，是我今天卖给你的。怎么？我没这个权利吗？”

“有，如果项链是属于你的！”猫侦探说，“告诉我们，项链是怎么到你手里的？”

史木茨彻底慌神儿了，他看了看天花板，又环顾左右，

闪烁其词：闪烁，光摇晃不定的样子。言语遮遮掩掩，吞吞吐吐。指不肯透露真相或有意回避要害问题。

最后说："这是一个中世纪的装饰品，我是从我爷爷那里得到的。"

"你爷爷戴项链？"

"当然！"史木茨满脸涨红，**斩钉截铁**地说，"我爷爷是一位时尚雅士。"

"可这是女式饰品。"

"对呀，那又怎么样？"史木茨惊讶道，"噢，是女式装饰物……不可以吗……"

"你怎么解释你爷爷戴女式项链这件事呢？"

"他戴项链……"史木茨紧皱着眉头，好像在回忆什么，"爷爷是装在衣服兜里的！是为了纪念奶奶，奶奶是戴在脖子上的！你们怎么回事，是特别喜欢吗？这条项链很好，好多宝石还完好无损。我也是真心实意想卖的。"

"你就是不诚实。"猫侦探说，"我可以证明，这条项链不属于你奶奶，也不属于你爷爷，更不属于你！这条项链属于猫头鹰乌古哈。承认吧，这是你偷来的吧？"

"偷？你怎么回事呀？你把我看成什么了！"史木茨惊慌失态，爪子颤抖不止，"好吧，既然事情是这样，我就实话实说了。这个装饰品是我侄子的。"

斩钉截铁：形容说话或行动坚决果断，毫不犹豫。

“谁的？”老鼠们惊讶地齐声喊。

史木茨挥了一下爪子说：“算了，我在开玩笑。开个玩笑不行吗？我是早晨发现它的，当时我在森林里采松果。顺便问一下，你们想不想买几斤松果？”

“不买。你到底是在哪里看到的？”

“在森林边缘，老磨坊附近。”史木茨承认道，“你们看，我还捡到一个袖扣和一只耳环。你们怎么了，不相信我呀？”

“你把具体地方指给我们，我们就相信你。袖扣和耳环你得还给椋鸟真尼和松鼠布拉卡。”

“事情既然是这样，我当然要还给他们。具体地方我指给你们。哪怕现在也可以，我正好有一个马灯。”

猫侦探点头说：“卖项链的钱也要还回去，因为这是乌古哈的东西，你是不可以卖的。”

史木茨叹了一口气，在地板上的匣子里翻出几个金币给了杜顿。

“嗯，现在走吧？”

“稍等！”史木茨拿起一个口袋，往里装了一些东西，说道，“也许沿途我还能卖点儿什么。”然后走出了帐篷。

1.
2.
3.
4.
7.
8.
9.

绘画家庭作业：

画猫侦探达芬奇

5.

6.

10.

画好了！

嘿！
吱嘎，吱嘎！
看，这就是那个花瓶！
我是第一个看见的！

第十章
神秘的磨坊

动物们聚集在森林边缘，周围的一切在月光下都显得如梦如幻。缕缕雾气在大地上弥漫，古老的磨坊耸立在小河边，像一个巨人在伸展身体，萤火虫好似天上掉下的星星在草丛里闪烁着微光。

动物们经历了一夜惊险之后疲劳不堪，坐在林边的草地上休息，只有史木茨嘴里嘟嘟囔囔，摇晃着爪子里的马灯，跑来跑去。

“这群吵闹不休的动物，你们把我搞得爪子都疼了，还要找多长时间啊？”皮包奇卡抱怨道。

“好像是在这里。草丛里我的脚印看不见了！我还去哪里找啊？”史木茨嘟囔着。

“快点找呀！”皮包奇卡猛地拽了一下史木茨的睡衣说，“不然我要吼了！”

“唉，不要吼。”史木茨害怕了，“看，这里有一个脚印！想起来了！我是在磨坊旁边的灌木丛里发现项链的。”

“哎呀，终于找到了！”

猫侦探拿起马灯朝灌木丛走去，灯光在草地上跳跃。这时大家都看见了，踩坏了的蜡泥花瓶倒在折断的树枝中间，旁边是老鼠们的糖纸和猫侦探那个已经打碎了的放大镜。

猫侦探达芬奇哼了一声，仔细地观察糖纸，用鼻子嗅嗅气味，又绕灌木丛走了一圈，最后宣称："我们的侦查即将结束。我的直觉告诉我，我们马上就要揭开一个可怕的秘密。同时，我们就要找到贼仔了。"

"我觉得你们永远也找不到贼仔了。"皮包奇卡啜泣着说，"可怜的贼仔，他一定是遭遇了什么可怕的事情！我有预感。"

猫侦探突然警觉起来。他竖起了耳朵："好像有谁在呼救！"

"这里不可能有谁！周围都是深山老林！"史木茨小声说。

这时，动物们都听到了微弱的尖叫声："救救我！"

声音是从磨坊里传出来的。

"哎呀，可别去那里呀！"皮包奇卡激动地说，"万一木乃伊在那里呢？他坐在那儿，身上没缠绷带，你们能想象得出那有多么可怕吗？"

"顾不了那么多了。"猫侦探朝磨坊跑去，其他动物紧跟在他身后。

门慢慢地打开了，一股浑浊的臭气扑面而来。

马灯突然熄灭了。

把影子周围的点连接起来，看看皮包奇卡最怕见到磨坊里的谁。

“哎呀！这是个坏兆头！不要进去！”皮包奇卡扯着嗓子喊叫。

猫侦探试图重新点亮马灯，可是灯没有亮起来。

“怎么办，只能这样进去了。”猫侦探把马灯交给史木茨，悄悄地进到磨坊里。

“他为什么又爬进去了？现在不是都挺正常吗！”皮包奇卡担心地跑来跑去，然后就躲到灌木丛里了。

现场一片寂静。

“嗨，侦探！你那儿一切都正常吗？”杜顿喊道。

没有回应。

“猫侦探！”老鼠们喊叫着。

一点儿声音也没有。

“我现在修理一下这个马灯！”史木茨在地上敲打着马灯，马灯毫无反应。

“你们的猫侦探被木乃伊吃掉了。”皮包奇卡在灌木丛里嘟囔着。

不到三分钟，磨坊里面传来了猫侦探的喊声：“大家快到这里来！”

“发生什么事了呀？”鳄鱼吼叫着冲进黑暗中。

“挺住啊！”杜顿也同时喊道。

“好侦探，我们去救你！”老鼠们尖叫起来。

史木茨恶狠狠地把马灯往墙上撞。只有皮包奇卡在灌木丛里藏得更深了，她皱着眉头，不知道为什么用爪子把鼻子捂上了。

磨坊里面一片漆黑，只有几丝细细的月光从破墙缝隙里照射进来。螺旋楼梯通向上面，猫侦探站在楼梯下面，他安然无恙。他身边的草堆上躺着贼仔，月光照在他的鼻子上。

“活着呐！”老鼠们高兴了，“耶！找到贼仔了！”

贼仔略微抬起身子，有气无力地小声说：“好侦探！

你来了，我太高兴了！木乃伊把我劫持到这里！你们胜利了吗？”

“暂时还没有。”猫侦探帮助贼仔坐起来。

贼仔握着猫侦探的爪子，紧张地说道：“要提防木乃伊！他很恐怖！他只是对着我吹了一口气，一下子就完了！我失去了知觉，直到现在才能听到你们的声音。”

“木乃伊一千多年都没刷过牙，所以你才这么难受。他对着我呼气的时候也是这样，但是我坚持住了。”猫侦探说。

贼仔的脸惊讶得跟橡皮似的拉得很长。

“你是怎么挺住的？”

“我服用维生素，还保持健康的生活方式。”

“可是我的生活方式不健康，”贼仔抱怨道，“我好像生病了。”

“你们离开点儿，让我过去！”皮包奇卡挤到他们旁边说，“噢，贼仔！是你吗！我就知道会这样！动物们看见了吧，我找到了贼仔。”

“是我们猫侦探第一个找到他的！”老鼠们反对她。

“详细说说你是怎么到了这里的？”猫侦探打断他们说道。

“恐怖的木乃伊把我拖到森林边上，他要抢走我的蜡泥雕塑花瓶，他以为那是真品。我勇敢地拒绝了他。最后花瓶

给贼仔涂上颜色

压成饼了，木乃伊才扔掉，可是他还抓住我不放，一直等到我说出我在乌古哈那里看见过这样的花瓶才放开我——这就是全部过程。接下来，木乃伊对着我吹了一口气，我就什么都不知道了。”

“花瓶在我们手里，”猫侦探说，“但是，木乃伊还会到处搜寻的。我想这不是个简单的花瓶，可能里面隐藏着什么秘密。”

贼仔一下子跳起来。

“我知道是怎么回事！花瓶可以展示过去、预知未来，这是我在一本关于埃及的书里读到的！在图书馆。”

“你说什么？你去过图书馆？”皮包奇卡感到惊奇，“我

怎么一次也没遇到过你呢。”

“你去过一次图书馆吗？”贼仔问。

“没有。”皮包奇卡承认，脸一下子变得通红，但是没有谁发现，因为当时太暗了。

“花瓶能不能给我们一些提示，木乃伊此时在哪里？”杜顿说，“这么好的展品跑了！”

“把它拿过来，我知道应该怎么做！”贼仔向花瓶伸出爪子。

“你不会把它打碎吧？”鳄鱼害怕。

“肯定不会！”贼仔有把握地说。

扑通！
扑哧！
叮当！

第十一章
神奇的花瓶

动物们都屏住呼吸。

贼仔拿起花瓶，把它放在从墙缝透进来的微弱月光下。瓶子上的象形文字泛出灿灿金光。

“非常简单！”贼仔说，“这些象形文字需要倒过来读，那样我们就能看到过去和未来。”

“这都是埃及文字，我们怎么读啊？”球恰说。

“小事一桩，我能轻松搞定！”贼仔说。

“又撒谎吧？”球恰不屑地说。

“不是！花瓶上一共写着十个象形文字，我在图书馆查过资料，为了准备表演学会了怎么阅读这些字！”

“勇敢的小伙子，我喜欢勇敢的小伙子。”皮包奇卡**欣喜若狂**。

“我不相信他说的这些话。”杜顿说。

“等一下，”猫侦探若有所思地说，“在不知道会出现什么状况时，不能轻易地实施魔法。”

贼仔听到猫侦探这么说，气得把牙齿咬得“嘎嘎”响。

欣喜若狂：狂，失去控制。形容高兴到了极点。

“胆小鬼！你要干什么？想把我们的大胆尝试一笔勾销吗？让我苦心背诵的阿卜拉卡哒卜拉咒语徒劳无功吗？”

“把花瓶拿过来。”猫侦探严肃地说。

“哼，你该干啥就干啥去吧！”贼仔踹了猫侦探一脚，“嗖”地一下就跑了，很快消失在阴影中。

猫侦探夜里视力最好，他迅速朝楼梯跳过去，同时喊道：“贼仔跑到上面去了！”

猫侦探奋起直追，刚追到二楼，门“咣当”一声在他面前关上了。贼仔把自己锁在一个窄小的房间里。

“快开门，不然我们就砸门了！”

猫侦探用力敲门，把木屑都震了下来。

“别敲了！别砸坏门！”贼仔尖叫，“我马上就开，门闩卡住了！我给你花瓶，只是不要砸坏门，我受不了这么大的声响。”

“我等着！”猫侦探说。

实际上贼仔并不想交出花瓶。他猛地推开小窗的护板，把花瓶伸到窗外，暴露在月光下。

“到了读象形文字和预知未来的时间了！我要成为具有先见之明的神灵，让动物们都对我**顶礼膜拜**！”贼仔严肃

顶礼膜拜：形容对人特别崇敬（多用于贬义）。

地小声嘟囔，开始拖着长音读起象形文字，“呜呀姆！呜呀姆！法波！”

从贼仔读第一个字起，四周就开始发生变化。空气开始颤抖，花瓶周围出现微光。

“你开不开门？”猫侦探喊道。

“马上，马上，门锁好像变形了，”贼仔又接着读象形文字，“呜——呜——呜！呵啪！”

这时，花瓶慢慢升起来，悬在空中，并且徐徐旋转。贼仔惊喜得忘乎所以，他跟着花瓶转，全神贯注地盯着，嘴里念念有词，把象形文字倒过来读。

“阿比卡！呜卡——呜卡！”

这会儿工夫，史木茨一直站在磨坊门口修理马灯，他把灯使劲地在墙壁上撞了几下后，灯亮了。

“太好了！”史木茨喊起来。

灯光下，史木茨看到木乃伊站在面前，全身裹着布，像

穿着风衣似的，吓得他把马灯都扔了。

“花瓶在哪里？”木乃伊发出嘶哑的声音问道。

“在那里！”史木茨小声说，然后就倒在草丛里失去了知觉。

木乃伊冲进磨坊，两只黄色的大眼睛在黑暗中闪闪发光。

动物们都聚集在楼上，他们用爪子拍打房门，同时喊着：“把花瓶交出来，贼仔！”

猫侦探用肩膀撞门，门发出“噼啪”断裂声。这时，贼仔以发射子弹的速度读着：“耶耶姆！呜呜姆！好……好了！”

“停！不能这样做！”门飞落下来，猫侦探跑进房间，随后木乃伊也进来了。

他们困惑不解地愣住了。

花瓶在贼仔的头上旋转。象形文字闪着光，好像花瓶里面装了灯似的。空气中有什么东西腾空而起，猫侦探觉得他的爪子离开了地板。

“你搞什么名堂？你这只可恶的老鼠！”木乃伊号叫。

“我已经读过了象形文字，马上就要知道我的未来了！”贼仔说。

木乃伊抓着自己的脑袋，朝花瓶跳去，然后揪住花瓶旁

开门！
我们这里大队人马都在等着呢！
再大点声敲门！

边的贼仔，大声地喊道："我现在替花瓶发出警告，你要是不从这里滚出去的话，就什么未来也没有了！"

"不！这是我的花瓶！"贼仔推开木乃伊，跳起来，用爪子抓住花瓶，把它悬在木乃伊的头顶上。

从花瓶中冒出一股浓烟，浓烟在房间里旋转扩散，猫侦探刚准备行动，这时烟雾中显现出一个面孔。

花瓶掉到地板上，"啪啦"一声摔碎了。

"谁这么大胆烦扰我！惊动魔神！谁？"烟雾中传出**震耳欲聋**的声音。

"是我在召唤你！让你讲讲我的未来！"贼仔尖声说。

"你有什么胆子让我对你**俯首听命**？你们都要臣服于我！我要把世界变得暗无天日，让你们在黑暗和痛苦中饱受煎熬。所有动物都要给我进贡，我要把你们都变成我的忠实奴仆！"

从这团烟雾的脑袋里吹出一股阴风，贼仔突然升腾到空中，目光呆滞。

"遵命，魔神！"贼仔平静地低声说。

烟雾又转向猫侦探，这时，意想不到的情况出现了：木

震耳欲聋：形容声音很大，耳朵都快震聋了。

俯首听命：听，服从，顺从；命，命令。形容人顺从的样子。

乃伊站到了猫侦探前面。

“快逃命！”木乃伊大吼一声，一下把猫侦探、老鼠们、杜顿和鳄鱼都搂在怀里，一起推出门外。动物们迅速离开了磨坊。

“唉，贼仔还在那里呢！”猫侦探停留在楼梯上。

“贼仔的末日到了！”木乃伊跳到猫侦探跟前，用爪子抓着猫侦探，把他拉到外面去了。

磨坊里响起了凄惨的哀号声，墙壁都被震裂了。

第四号报纸

母鸡真理报

快讯

重大新闻！

母鸡苦大哈带着印报用的纸张从另外一个城市回来了，可是她找不到能够进行采访的对象了！动物们都跑了，既看不见猫侦探达芬奇，也看不见食蚁兽杜顿，就连贼仔都无影无踪了！

猫头鹰乌古哈没走，可是她把自己锁到家里不回答任何问题。所有这一切都非常可疑。

你们热爱的报纸

由于没有新闻，只好刊登天气预报，这是我们自己想出的主意。

今天有短暂的狂风暴雨和火山喷发。

小暴风雨报道

很抱歉，我们说不出将要发生灾难的具体地点，反正是在地球上的某一个地方。

鸡爪子报道

第十二章
复活的磨坊

磨坊开始摇晃。虽然一丝风都没有，但是几个叶片都慢慢转动起来了。从磨坊的缝隙中透出亮光，好像里面点了灯一样。但是，这光线既冷峻又惨白。

“发生什么事了？”皮包奇卡哭着问，她坐在鳄鱼的头上，用爪子搂着他的脸。

史木茨紧紧搂着那个装着商品的口袋。木乃伊跳出来后，赶紧往身上缠裹布片，然后猛地把猫侦探放到地上说道：“我自己都不知道为什么救你。有什么办法呢，谁让我是一个善良的木乃伊呢！但是，你们看起来可不是什么好动物。”

“这是为什么呀？”猫侦探问。

木乃伊抖动着爪子尖叫起来：“因为你们犯了大错！你们释放了一个可怕的魔神。”

“这不可能！”

“可能！”木乃伊喊道。

磨坊“嘎吱嘎吱”地响起来，几个叶片也像翅膀一样“啪啪”作响，突然，磨坊开始发生变化。

磨坊的尖顶朝天空升起，底座朝四面八方延伸。

悠呜！
悠呜！
悠呜！

“这是怎么了？”史木茨喊着，同时离开向他逼近的磨坊墙壁。

“你们快看！磨坊变成三角形了！”皮包奇卡大声喊叫着从鳄鱼头上摔了下来。

磨坊变成了一座巨大的石头金字塔，它的墙壁上有台阶通向顶端。从塔顶冒出的黑烟在天空中弥散。金字塔底座周围的草干枯了，变成了沙石。

“一切都消失了！”木乃伊号啕大哭，“你们为什么拿走花瓶？又为什么把它打碎？为什么呼唤魔神？多年来我

一直守护着它，如今**前功尽弃**了。很快这里的一切都会变成沙漠。”

“那我的店铺也要变了？”史木茨惊慌地说，并把装商品的口袋紧紧贴在自己身上，挤得口袋里的东西差点儿掉出来。

“你自己很快也要变成沙子了。”木乃伊说。

“这还不够吗？”皮包奇卡喊叫着跑到猫侦探面前，拉住他的爪子说，“猫侦探，你就无所作为吗？除你以外，谁也救不了大家！快想一想怎么扭转局面吧。”

这时，震耳欲聋的声音打断了动物们。从金字塔里面走出来一个庞然大物，他就是魔神，他用响彻整个动物城的声音吼道：“动物们都注意听着！我，魔神，给你们一个小时的时间，把礼物给我送来，在我面前**三拜九叩**。这样我就可以饶恕你们，收你们为我当牛做马。所有胆敢不从者，等待他们的将是永恒的黑暗和沙漠！哈哈哈！”

魔神的声音消失了。动物们目瞪口呆地盯着金字塔顶，等待着再传出什么声音。过了一会儿，大家才回过神来，开始惊慌失措。

前功尽弃：指以前的功劳努力全部丢失白费。

三拜九叩：礼节上最高的级别，表示顶礼恭敬。

恐怖！天越来越黑了！
这一口袋东西卖给谁呀？

给这几个主角涂上颜色

“啊——啊——啊！”皮包奇卡大哭大叫，“我还这么年轻呢！”

杜顿开始揪自己的毛，鳄鱼啃着自己的爪子。

“我事先警告过你们！我几次想从你们那里拿回花瓶！”木乃伊喊道，“可是谁也不理解我的意图！现在一切都晚了！”

这时，猫侦探插话道：“大家都不要惊慌！听见没有？我们还有一个小时的时间，应该想一想怎么阻止魔神的行动。”

猫侦探开始踱来踱去，老鼠们跟在他后面小跑。猫侦探一停住脚步，老鼠们就撞到了一起。

“是这样，如果魔神是从花瓶里飞出来的，这就意味着他可以飞进另外一个器皿里。”猫侦探说。

“这个我们做不到了，”木乃伊伤心地说，“这个花瓶是有魔力的，是独一无二的！如果没有打碎的话，我可以按正确顺序读象形文字，魔神就会消失在花瓶里。”

“我可以把它粘得完好如初，连一个细微的裂纹都没有！”鳄鱼大声喊道。

“你有粘胶吗？”木乃伊问。

“我有这种胶！”史木茨在口袋里翻了一会儿，拿出一管粘胶，“等于白送给你！给五个金币吧！”

“吝啬鬼！就给四个金币！”皮包奇卡生气了，想从侧面推史木茨一把。

“给三个金币吧！”杜顿说着在公文包里找钱。

“三个太少了！”史木茨说，“这可是一管好胶，几乎是新的，我只用它粘过靴子。”

“你们怎么能在这种时候还想钱的事呀？”球恰实在听不下去了。

“我是钻钱眼儿里去了，无时无刻不在想着钱！”史木茨说。

“都停止讨价还价！多少钱，我给你！现在是城市生死存亡的危急时刻，钱还有什么意义！”猫侦探说。

“你早说不就完了吗？”史木茨同意道。

“现在我给你们讲解行动计划！”猫侦探说，“我们不得不和魔神玩一点儿欺骗的小把戏，吸引他的注意力并拖延时间，以便让我去塔里寻找花瓶碎片。然后，你，鳄鱼，把花瓶粘回原样。”

“没问题！”鳄鱼赞同道，“可是我们怎么吸引他的注意力呢？”

“送给他非同一般的礼物！”猫侦探说得很轻松，好像动物们身上带着魔棒、飞毯和鸽子蛋钻戒似的。

“礼物我这里有，当然，要另外收费。”史木茨打开口袋，里面有面包棍、梳子、托盘和古老的收音机。

“太好了，这正是我们需要的！”猫侦探说，“我们要想方设法说这些东西都具有魔力，在魔神猜想这是怎么回事的时候，我们把他诱进花瓶里。”

“天才！”大家一起赞叹道。

“就这样了，我现在进塔里，最重要的是，我们的计划一定要实现！”

猫侦探刚刚靠近塔边，塔基的石头就散到四周去了，形成了一条狭窄的通道。

“谁到我这里来了？”一个响亮的声音问道。

“是我，天才猫侦探达芬奇，给我们敬爱的魔神送礼物来了。”

你真是个储存能手！
装破烂的口袋

我要气疯了!
飞行火焰
别这么生气!

第十三章
神奇的礼品

猫侦探刚一进入金字塔，身后的通道就立刻自行关闭了。

猫侦探来到一个巨大的三角形大厅，面前宏伟壮观的景象令他目瞪口呆，没想到能在这里看见如此奇观异景。

这里可以说是**金碧辉煌**。金黄色的墙壁上闪烁着神秘的图案。黄金铺就的地板上映出环绕大厅飞翔的火炬，最令人**叹为观止**的是庞大的黄金宝座，它是由闪光的金枝编织而成的。

魔神庄严地坐在宝座上。他更像一团烟雾，他的外形经常变换：脑袋一会儿出现，一会儿又消失了，身体一会儿变长，一会儿又变成球状。

猫侦探小心翼翼地向魔神跟前迈了两步，对方朝他露出了暗灰色如烟似雾的面孔。

“你是谁？你这个奇怪的红褐色动物，还长着个红鼻子，我这里有你需要的东西吗？”

金碧辉煌：碧，翠绿色。形容建筑物装饰华丽，光彩夺目。

叹为观止：叹，赞赏。指赞美所见到的事物好到了极点。

“我是来问候你的，魔神！”猫侦探说，“能在动物城见到你，我和其他动物都觉得三生有幸。大家一致决定，要按王室规格隆重接待你。”

“有礼物吗？”魔神更关心这个问题。

“当然！都是最惊艳的礼物！动物城的居民要用具有魔力的礼物表示对你的敬意。请开门迎客！”

魔神原地转了一圈后，墙壁上开了一个门洞。一群动物带着礼物已经站在了门槛上。

“请允许我向你介绍优秀的皮包奇卡！”猫侦探礼貌地说。

“我来了！”皮包奇卡跑进大厅，给猫侦探使了个眼色。

她伸出爪子，拿出面包棍站在大厅中间，欣喜地看着魔神说：“哇！多么似雾非雾、似烟非烟的眼神呀！我从来没见过！”

“这是什么？”魔神看着面包棍惊讶地问，可是皮包奇

卡觉得魔神是在看她。

“是我，皮包奇卡！我欣赏你的威势雄雄，如果你有爪子和尾巴的话，我会爱上你的！我一直崇拜万能的生命，只是他们不关注我。我总是时运不济，谁都想欺负我。”

“谁把这个小不点儿老鼠打发到我这里来了？”魔神问道。

“你是说我吗！”皮包奇卡委屈地嘟囔一句。

“嗯？”魔神从宝座上起身，开始变高变大。

猫侦探明白，现在到了该出手的时候了，马上开口说了第一个出现在他脑海里的话题：“任何老鼠在你面前都是**微不足道**的，可是，这只老鼠是天上的仙女，是风的主宰。她给你带来了会令你惊喜的大礼物。”

“是的，我给你带来了魔力面包棍！”醒悟过来的皮包奇卡摇晃着面包棍说，“如果把这个面包棍放到不久前打碎的东西上，它就会把那种破坏力都吸收到自己身上，并且变得无比坚硬，任何工具都打不破它，就连你的力量在这样的硬度面前，也会显得软弱无力。”

“哎，仆人，把花瓶碎片拿过来！”魔神说。

微不足道：微，小；足，值得；道，谈起。指意义、价值等很微小，不值得一提。

这时，贼仔从宝座底下出来了，皮包奇卡“啊”的一声大叫。贼仔好像梦游一样，两只眼睛直勾勾的，尾巴耷拉着。贼仔摇摇晃晃地把花瓶碎片扔到皮包奇卡的爪子下面。

“亲爱的贼仔，他把你怎么了？”皮包奇卡小声说。

但是，贼仔没有回答，他转过身回到宝座后面。

“你等着，我要替我亲爱的贼仔报仇。”皮包奇卡压低声音自言自语，然后突然又愉快地大喊起来，好像是在参加魔神的生日派对一样，“快看，免费魔术！我拿起花瓶碎片，把面包棍放到这个地方，面包棍就会变成石头！”皮包奇卡说着，迅速捡起花瓶碎片，把面包棍放到地板上。“变成石头后，面包棍可以打穿任何墙壁。如果把它扔到森林里，滚过之处将辗倒树木无数；要是把它扔到海里，能激起滔天大浪，淹没所有的岛屿。”

魔神情不自禁地颤抖起来，问道：“怎么样，它开始变了吗？”

“当然没有！”皮包奇卡说，“需要等三天！但是，这个面包棍不能从这个地方移开。”

“好吧，若是欺骗我，你将受到可怕的惩罚。”

“不会，不会！我是世界上最诚实的老鼠！”

皮包奇卡的大眼睛天真地眨了一下。

“好吧！你的礼物我收下了，如果你说的都是真的，我就不把你变成沙子了。”

“哦，谢谢！”

皮包奇卡“吱吱”叫了一声，就向墙壁跟前跳过去了，猫侦探就站在那儿。

魔神满意地点了点头，猫侦探发现他那烟雾脸上掠过一丝微笑。

“下一个！”猫侦探喊。

鳄鱼走进大厅，他咧着大嘴，愣愣地看着魔神，一脸茫然，不知所措，都不知道要说什么好了。

“我带来的是这个！”鳄鱼终于挤出一句话来，同时给魔神看那盏已经灭掉的提灯。

魔神露出不满的表情，他可能是不喜欢提灯，也可能是不喜欢鳄鱼，或者两者都不喜欢。

“这个面目狰狞、脑袋像矮皮靴的动物，你带什么礼物来了？”魔神气愤地问。

鳄鱼耸了耸肩膀。

“这盏提灯……哎呀，我忘了，这盏提灯是怎么回事来着，好像刚想起来又忘记了。”鳄鱼慌乱地看了猫侦探一眼。

“哦！他不是面目狰狞的动物，他是鳄鱼沼泽地管理协会的会长！”猫侦探立刻说，“他给你带来的礼物是神灯！这盏神灯里藏着月光，可以在任意时间按照你的要求发光。”

鳄鱼点亮了提灯。魔神吓得变成了一小团，然后又长大了三倍，吼叫道："这是真正的奇迹！这个灯光还有什么作用？"

"噢，这个灯光还能照穿墙壁，找到里面的钻石。"鳄鱼说。

"真是神奇的魔力！"魔神赞叹，"这才是魔神应该拥有的礼物。哎，神灯，给我找一些钻石来！"

"想要神灯照穿墙壁，要等它炽热起来才行，所以要稍微等一下。"

"又要等！这是怎么回事啊？"魔神生气了，"算了，我再等个把小时，不能再多了！"

“再多我们也用不着。”鳄鱼嘟囔了一句，就走到猫侦探那里去了。

魔神在原地来回转悠，等待新的礼物。

老鼠们进入大厅，他们爪子上的礼品托盘里装满了各种颜色的塑料梳子。魔神的视线刚一转到他们身上，皮包奇卡就把花瓶碎片递给了鳄鱼，鳄鱼立刻转过去面对墙壁，开始快速、有条不紊地粘接这些碎片。

猫侦探站在鳄鱼前面，挡住魔神的视线，防止魔神发现鳄鱼的动作。

“你好，魔神！我们是老鼠，财宝的守护者！这是我们城里最贵重的‘金属’！它的名字是塑料！”老鼠们尖声说，

“只有最富有的居民才拥有这样的梳子！你看，它们怎么弯曲都不会折断！”

皮克为了让魔神相信，拿起一把梳子稍微弯折一下给他看。

“太神奇了！”魔神惊叹道，“柔软的金属！我还从来没见过。”

突然，一块碎片从鳄鱼爪子里滑落到地板上，发出很响亮的声音。魔神刚要说什么，这时杜顿把他的注意力吸引过去了。

杜顿进门时在门槛上绊了一下，大声骂了一句。他看见魔神又差点要跑掉，但最后还是勇敢地用爪子举起那台旧收音机。老鼠们把装梳子的礼品盘放到地板上，就跑到墙角去了。

杜顿走到魔神的面前，由于离得太近，好像马上就要碰到他了。他把魔神从头到脚看了一遍，然后突然用非常傲慢的口气开口说话，好像不是他给魔神送礼物来了，而是魔神应该向他顶礼膜拜。

“我以本城和我个人的名义，以世间一切馆长中的至尊馆长的名义，送来魔力无边的无价之宝！”

皮包奇卡听到杜顿说这些话的时候，忍不住要笑。可是面对魔神冷酷无情的样子，她没敢笑出声来。

“欢迎你，这个名字叫馆长的动物。”魔神用洪钟般的低音说。为了表示尊重，他的身体变宽了。天花板下面飘满烟雾。

“快看，我给你带来了什么！这个具有魔力的盒子能让你听到从很远的地方传来的声音！”

“听这个声音也要等吗？”魔神疑惑地问道。

杜顿晃了一下长鼻子说：“不用等。只要先念几句咒语，然后按一下按钮就可以了！”

“快点，”猫侦探小声对鳄鱼说，“礼物快要送完了，花瓶还没粘好。”

“我也着急呢，尽量快！”鳄鱼又从管子里挤出一些胶，转动了一下花瓶，“还有三块没粘上。”

“哎呀，碎片就剩两块了！”皮包奇卡慌张地说。

杜顿听见动物们在小声说着什么，就咳嗽了一声引开魔

神的注意力。

“这样，我现在念几句咒语，你，伟大的魔神，记住这些话！噢，啊，呜！无线乌斯出声！快看，魔神，现在这个盒子就要出声了。”

大家都盯着收音机。没声。

“声音在哪儿呢？”魔神大声问道，“你是不是在欺骗我？”

杜顿颤抖着用爪子转动着收音机。

“等一下！按钮在哪里，跑哪里去了？啊，在这里，找到了！”

从收音机里传出欢快的歌曲，这是著名歌手真尼唱的。

真尼十分激动地唱道：

我是富豪，我是富豪，我找到了藏匿的珍宝！

魔神哈哈大笑，跳到宝座上，金字塔的墙壁在颤抖。

“这才是真正的上等礼物！我要找到这个声音的主人，把他的财宝据为己有！”魔神吼叫着。

“我还缺一块碎片。”鳄鱼悄悄说。

猫侦探看了一下周围，发现最后一块碎片就在宝座的下面。

“哎呀！这怎么能拿到啊？”皮包奇卡轻声说。

多么希望她没说这句话！

我喜欢跳舞！
你怎么了，咖啡喝多了？

这些是动物们送给魔神的礼物，

画一件你自己的礼物吧！

“你们在那里干什么呢？”魔神注意到了墙壁那边的一小群动物。

“噢，我们就是在赞叹你的伟大！”猫侦探迅速回答。

魔神微笑着，同时体谅地点了一下头。

猫侦探弯下身子在皮包奇卡耳边说：“我吸引魔神的注意力，你赶快捡起那块碎片。为了吸引他，我需要一个口袋。”

皮包奇卡看见史木茨和木乃伊正拿着最后一件礼物往

魔神跟前走。

“你们给我带来了什么？就一个普通的口袋吗？”

“噢，不是！”史木茨说，“这个口袋可不普通，它价值连城！值一百万金币！我想卖给你，但是……”木乃伊推了一下史木茨，他马上改口了：“现在只好就这样送给你了！”

“这是神袋。只要看它一眼，世界上的所有财宝尽收眼底。”猫侦探插话道。

木乃伊和史木茨都紧张地看着猫侦探。

“这个神袋还能呼风唤雨！这不是你亲口对我们说的吗？”史木茨不加思索地说了一句。

“不对，不对，能呼风唤雨的是另外一个神袋，这个能招财进宝。”猫侦探说，“给我拿过来。”

猫侦探把脑袋伸进口袋，开始兴奋地大声喊叫。

“哎呀，真是呀！南海的财宝啊！太震惊了，这又是什么？雪原财宝！我被这珠宝迷住了，太令人神往了！”

“嘿，让我看看！”魔神说。

“当然，看吧！”猫侦探打开口袋，魔神一下就冲过去了。

猫侦探看了一眼皮包奇卡，她立刻明白了，马上飞跑着去捡碎片。一瞬间，皮包奇卡就把碎片交给了鳄鱼，鳄鱼小心地把它粘到了原位。

魔神看了一眼口袋说：“我什么也没看见呀。”

“你再仔细看看！”猫侦探说。

魔神全身都钻进口袋，瞬间就消失在里面了。

利用这个机会，木乃伊飞跑过去抓起花瓶。

“这群可恶的动物！”魔神愤怒地从口袋里爬出来，周围一切都在颤抖，“这就是一个普通口袋。我不能饶恕你们的欺骗行为！”

这是我的！
看明白了吗？

以神圣花瓶的名义祈求你！

第十四章
突　变

金字塔开始颤抖，并且发出“轰隆轰隆”的响声。魔神变得越来越大了，他的身体占满了整个大厅。

“快念象形文字！”猫侦探大喊。

木乃伊用眼睛照亮花瓶，同时诵读起来。

“嗨呀呜！嗨呀呜！波法！”

“噢！这个可恶的瓶子！我要消灭它！”魔神号叫。

地板和墙壁开始移动，向动物们步步紧逼。花瓶开始抖动，猫侦探感觉它马上要碎成千万片似的。

魔神冲向木乃伊，打掉他爪子上的花瓶，自己升腾到空中。花瓶滚到猫侦探脚边，猫侦探捡起花瓶给了木乃伊。

“呜——呜——呜！啪呵！卡比阿！卡呜——卡呜！”木乃伊读着。

“我要把你们都变成沙子！”魔神喊道，然后开始疯狂地转圈跳舞，嘴里念着神秘的咒语。

猫侦探感到自己在脱离地板，他翻了个跟头，四爪朝上地悬在了空中。动物们都开始旋转，木乃伊转到最高处。猫侦探惊恐地看见自己的爪子开始变成灰尘。魔神的咒语开始起作用了。花瓶向下滑落，落到球恰身旁时，球恰一把抓住递给了木乃伊。

“快点读！”

木乃伊继续诵读：“哞耶耶！哞呜呜！叩——叩！”

突然，花瓶亮了，像太阳一样光芒四射。

“不！”魔神疯狂地大喊大叫。花瓶用难以置信的力量拽住他，魔神变成一条长烟雾，他的头在猫侦探旁边一闪而过。

“我不想！”魔神鬼哭狼嚎，突然全身消失在花瓶里。

花瓶落到地板上，动物们也都落下来。光线渐渐暗淡，周围一片寂静。花瓶看上去就是一个普普通通的瓶子。

猫侦探微笑着说：“一切都结束了！胜利了！”

“成功了！”木乃伊喊道。

“乌拉！”所有的动物都欢呼起来。

这时，大厅消失了，宝座蒸发了，黄金的墙壁如幻影般化为乌有，火炬也一个接一个地不见了。

动物们又置身于磨坊里。一切都和从前一样，只是从墙缝透进来的已经不是月光，而是早晨的阳光。

木乃伊坐在屋子中间，他的爪子又恢复了原状。旁边的贼仔眨着双眼，惊奇地看着四周。猫侦探依然四爪朝上。老鼠们靠墙挤成一团。史木茨不知道怎么就钻到口袋里了。杜顿横躺在房间里，长鼻子伸在地板上。

我们都在飞！

“刚刚发生了什么？我怎么都不记得了呢，我好像召唤魔神了，他跑到哪里去了？”贼仔问。

“我们战胜了他！”皮包奇卡说，“我是功臣之一。”

猫侦探站起来，满意地点着头。

“对！胜利了！”老鼠们高喊着跳起舞来。

“好了！追查花瓶失窃案件到此结束！谢谢你，木乃伊，帮助我们躲避了魔神带来的灾难。谢谢你这么慈悲，保护了我们的城市！”

“算了吧，你们！”木乃伊说，同时整理了一下他的布片，“最好给我缠一些绷带，不然我感到不舒服。”

“我可以给你一些手纸代替绷带，我那里有一堆呢！”贼仔喊道，大家都笑了。

第十五章 被遗忘的生日

一群动物从磨坊里走出来，早晨温暖的太阳照耀着他们，天空中飘着淡蓝色的云彩。美好的夏季已经来临。

大家都沉浸在幸福之中。猫侦探郑重地和所有这场事件的参与者握爪致意，杜顿**热泪盈眶**，老鼠们高兴地围着鳄鱼跳舞，皮包奇卡对贼仔讲述她如何苦心寻找他，木乃伊小心翼翼地紧紧搂着花瓶。

“我们太幸运了，一切都圆满结束了！”球恰感叹道，“不过我有一点不太明白，木乃伊到底是怎么找到贼仔和那个蜡泥花瓶，还有猫头鹰乌古哈的？”

热泪盈眶：因感情激动而使眼泪充满了眼眶，形容感动至极或非常悲伤。

实际上这是一座金字塔，只不过不是石头的，是木头的。
乌拉！
乌拉！
生活多么美好啊！
这是我心爱的花瓶！
乌拉！

绘画家庭作业

画贼仔

5.

6.

10.

猫侦探微笑着说："我想这算不上什么秘密。木乃伊是根据贼仔和花瓶一起照的那张照片找到的。"

"你是怎么知道的？"木乃伊很惊奇，"你是魔法师吗？"

"我是天才。"猫侦探不谦虚地说。"但我想，最好是你自己按先后顺序给大家讲一讲这个过程。"

木乃伊抚摸着花瓶说："一切都始于有谁移动了我的石棺盖，从缝隙射进来的光线折磨了我好长时间。我曾试图把棺盖再盖上，可是它彻底掉下去了，于是我发现贵重的花瓶不见了，它已经在我的石棺旁摆放多年！这就意味着有谁想把魔神召唤出来毁灭地球，我非常害怕！这时我看见地上有一张照片，照片上的花瓶旁边站着一个大耳朵的小动物。我以为他是小偷。原来是贼仔。"

猫侦探点头说："明白了，你很快就找到他了，因为城里到处都挂着贼仔的宣传画，上面写有他的地址。"

"是的，找到了，可是我还以为你们的这个贼仔也是一个木乃伊呢，想把花瓶据为己有。他用手纸缠裹着自己。"

"后来我明白了，这只不过是一个愚弄我的小动物而已。我问他真品花瓶在哪里，他说他在乌古哈家里看见过。谁知我在那里找到的是一个赝品。我当时痛苦万分，坐在灌木丛里号啕大哭了一整天，一直到晚上听到卖报的小鸡的叫卖声，说真品花瓶放在没有安保措施的博物馆的地下室里。后面的情况你们都知道了。贼仔把魔神从花瓶里放出来了，我们都差点儿永远消失在沙漠中。”

“这个花瓶也太可恶了！你怎么还不把它扔掉啊？”贼仔突然插嘴说，“拿过来，我把它扔到泥坑里去。”

贼仔朝木乃伊伸出弯曲的瘦骨嶙峋的爪子。

木乃伊跳了起来：“我不给！”同时把花瓶举过头顶，“花瓶不能扔掉，它应当被好好地保管起来。”

“哎，你们都在想什么呢？”杜顿站到了贼仔和木乃伊中间说，“我现在拿走花瓶，并且要求你，木乃伊，回到原来的地方！否则，将会发生恐怖事件！”

木乃伊摇着头说：“无论如何我也不回你们那个博物馆了！我在石棺里躺够了，我也有可能像贼仔那样，当一名演员。”

“我是主角！”皮包奇卡生气了，“都说了让你回博物馆，回去吧。馆长，如果他不回去的话，会发生什么事呀？”

“灾难！”杜顿尖叫道，“我清点所有展品时，就会缺少一个，我头上的毛会掉光的。我们食蚁兽是很严谨的群体！我们喜欢准确无误。所有的文件和展品都应该井井有条。”

“哈哈，你呀！”皮包奇卡哈哈大笑，“秃头食蚁兽，我还从来没见过呢。”

“就让他的毛都掉光吧，”木乃伊说，“反正我不喜欢带毛的。我喜欢绷带。”

木乃伊嘘了杜顿一声，就躲到磨坊的阴影里去了，以免被太阳晒着。

杜顿气得“呼哧呼哧”直喘，开始用拳头打自己的脑袋：“你们没看见吗？我已经感觉很不舒服了！我气疯了！”

“不必那么着急，我能给你做一个用绷带裹着的，和这个非常像的木乃伊。”鳄鱼保证。

“这让我很欣慰。”杜顿严肃地说，“谢谢，太好了，我们有真正的专家。”

“噢，这很有趣！想不想让我给他缠绷带？”皮包奇卡**毛遂自荐**。

“谢谢，但我喜欢单独工作。”鳄鱼不好意思地说，“我走了，还有好多事要做呢，要用绷带缠裹一具完整的木乃伊……”

“当然，你快走吧。”杜顿赞同说，“还要谢谢你，猫侦探达芬奇，把这些事都处理得很好！我会亲自给你写荣誉证书，给你发奖章，还要请你在我们博物馆工作，当警卫！一只苍蝇都别想从你眼皮底下飞过去，这样我就不用担心我们的展品了。”

“我可以胜任，”猫侦探说，“不过，我身上的事情实在太多！我要保护整个动物城，避免灾难和被侵犯。”

“我们都帮助他！”老鼠们**异口同声**地说。

“我想出个主意！如果你们同意，我可以在博物馆里做解说员，给来访者讲解埃及的历史！”木乃伊突然发话了。

“嗨，这太棒了！”杜顿高兴得立刻跳起来了，“这真是求之不得的好事。这样一来，我们的参观者就会**络绎不绝**

毛遂自荐：比喻自告奋勇，自己推荐自己担任某项工作。

异口同声：不同的人说同样的话，形容意见一致。

络绎不绝：形容行人车马来来往往，接连不断。

了！我们有真木乃伊做解说！”

“那我干什么呀？”贼仔问，“要不我也扮演一个木乃伊，可以竞争上岗吗？”

“你就来我这里参观游览吧。”木乃伊说。

“不，我不想，”贼仔说，“我不喜欢这样，我要创作歌曲，开演唱会。想不想听听，我给你们唱一个？”

木乃伊为了以防万一堵上了耳朵，球恰吓得跌坐在地上，皮克藏到了鳄鱼的身后。

“我们想听！”皮包奇卡喊道。

“下次吧，等我准备好了再给你们唱。”贼仔突然又改变了主意，“我要写一首关于木乃伊的歌。”

猫侦探神秘地微笑着说：“朋友们，你们有没有发现我们似乎忘记了一件大事？”

“我们忘记什么事了？”

“忘记庆祝贼仔的生日了。”

“那我们就去博物馆举办一个生日派对吧！”杜顿说，“我们那儿的小吃店里有柠檬汽水和夹肉面包。谁愿意去都行，我们那里地方足够大，都能容得下。”

“太棒了！”大家欢呼。

“哎，这里发生什么事了？”母鸡苦大哈朝动物们跑过来，把话筒伸到猫侦探的鼻子下面，“请回答。”

帮助木乃伊搞清楚，
哪些绷带不是他的！

“我们这里出了一件大事，就是大家都要去庆祝贼仔的生日！”猫侦探笑着回答。

杜顿挥动着爪子严厉地说：“还有一个条件，就是你们以后都必须来参加博物馆最新展览的开幕式！”

动物们蹦蹦跳跳地出发了，一起去参加贼仔的生日派对。

一切都妙极了，贼仔收到了一大堆礼物。猫头鹰乌古哈、椋鸟真尼、松鼠布拉卡，当然还有母鸡苦大哈，都来参加生日派对了。大家不停嘴地讲述着离奇和危险的经历，而贼仔则悲痛地讲他如何失去知觉躺了一天一夜，大家又怎么把他救出来，他怎么摆脱魔力，不再做魔神的奴仆……

皮包奇卡坐在木乃伊旁边，除了自己吃东西，还替木乃伊吃，因为木乃伊有严格的饮食规定，除了空气，什么都不能吃。

好了，我们就这样愉快地结束这段故事吧。

生日派对以后，猫侦探周围又出现了很多更神秘的事件，继续和猫侦探踏上冒险之旅吧！

如果想送给我礼物，你可以在任意一个网络商店里写一篇关于本书的评论！谢谢！

你的贼仔

第五号报纸

母鸡真理报

快讯

重大新闻！

猫头鹰乌古哈卷入一场混乱之中！她刚刚答应读者要写一本书，名字叫《圣诞老人的礼物》，不知道什么原因，出版社声称不能出版以此命名的书。可是，其他关于新年的具有类似书名的书，例如《动物的新年》《远离圣诞树的爪子》等已经出版问世了。

猫头鹰乌古哈呼吁所有的读者给出版社写信，内容：“我们都想读《圣诞老人的礼物》这本书！”请出版社采取措施！

猫侦探达芬奇把我们的城市从魔神的魔爪中解救出来了！母鸡苦大哈没有及时发布新闻，导致我们对此事一无所知！请你为《母鸡真理报》投稿，写一篇文章报道一下猫侦探的英勇事迹吧！

写一写

侦探技能

1. 逻辑推理能力。作为一名侦探，首先应具备的就是强大的逻辑推理能力。本书中，猫侦探从细微处观察，层层抽丝剥茧，利用缜密的逻辑推理能力推断出博物馆的保安是鼹鼠，更为重要的是破解了生日盗窃案。

2. 过目不忘的能力。侦探除了逻辑推理能力以外，还要有过目不忘的技能。不难发现，猫侦探在侦办案件的时候，任何细节都不放过，哪怕是之前有谁说过的一句话，或者做过的一个小小的动作，他都能记得一清二楚。如果需要，他立马可以脑内影像回放。猫侦探的那双眼，简直就像是录像机一样，凡是看过的都能记录下来。

3. 高超的演技。破案的过程中，演技是必不可少的，比如用卖萌、卖惨、装傻和装弱小等手段来获得一些情报或争取时间。在抓捕魔神的时候，猫侦探和他的伙伴们集体向魔神称臣，并向魔神敬献礼物，让魔神掉以轻心，给鳄鱼争取了修补花瓶的时间，从而顺利降服魔神。